LE MOULIN

ET

L'HOSPICE

DU MÊME AUTEUR

ŒUVRES POÉTIQUES

LA VIE UNANIME (N. R. F.).
UN ÊTRE EN MARCHE (N. R. F.).
ODES ET PRIÈRES (N. R. F.).
LE VOYAGE DES AMANTS (N. R. F.).
CHANTS DES DIX ANNÉES (N. R. F.).
L'HOMME BLANC (Flammarion).
PIERRES LEVÉES (Flammarion).
CHOIX DE POÈMES (N. R. F.).

ROMANS

MORT DE QUELQU'UN (N. R. F.).
LES COPAINS (N. R. F.).
PSYCHÉ (trois volumes) (N. R. F.).
LES HOMMES DE BONNE VOLONTÉ (vingt-sept volumes) (Flammarion).

THÉÂTRE

THÉÂTRE COMPLET (sept volumes) (N. R. F.).
KNOCK (N. R. F.).
GRÂCE ENCORE POUR LA TERRE ! (N. R. F.).

DIVERS

LE VIN BLANC DE LA VILLETTE (N. R. F.).
PUISSANCES DE PARIS (N. R. F.).
LE BOURG RÉGÉNÉRÉ (N. R. F.).
DONOGOO TONKA (N. R. F.).
PROBLÈMES EUROPÉENS (Flammarion).
VISITE AUX AMÉRICAINS (Flammarion).
CELA DÉPEND DE VOUS (Flammarion).
RETROUVER LA FOI (Flammarion).
BERTRAND DE GANGES (Flammarion).
LE PROBLÈME No 1 (Plon).

JULES ROMAINS

de l'Académie française

LE MOULIN
ET
L'HOSPICE

LE CERCLE DU LIVRE DE FRANCE

FLAMMARION
26, rue Racine, Paris

LE MOULIN et L'HOSPICE

I

— Le chemin devient bien étroit. Je me demande s'il ne va pas finir, un peu plus loin, en cul-de-sac. Il nous faudra ensuite grimper à travers les bois, ou la broussaille. Nos chevaux n'ont pas le pied montagnard.

— Pourtant l'entrée du vallon ressemblait beaucoup à ce que les gens de cette auberge, là-bas, nous avaient décrit. Le chemin paraît plus étroit qu'il n'est, à cause de l'herbe, qui est en pleine pousse. Mais on y passe. Regarde.

Et le plus âgé montrait au plus jeune des traces qu'avaient laissées des pieds de cheval ou de mulet.

— Peut-être. A moins que cela ne conduise simplement à un pâturage. Enfin ! Pourvu que nous trouvions une cabane ; et du foin où nous étendre !

— Tais-toi, Piquereau. Tu me donnes envie de me coucher par terre, ici même.

Environ un quart d'heure plus tard ils virent, d'un petit ravin à leur gauche, une sente encore plus menue descendre jusqu'au chemin qu'ils suivaient. Un filet d'eau venait de la même direction, coupait le chemin par un caniveau de pierraille, et allait tomber dans le gros ruisseau que, depuis l'entrée du vallon, ils avaient à leur droite.

Puis, à quelque distance en amont, ils aperçurent, presque dissimulé dans le feuillage, un bâtiment qui dominait le ruisseau d'une vingtaine de pieds.

— Donc,» s'écria le plus âgé, «nous ne sommes pas dans un lieu perdu. C'est à cette maison que mènent les traces de bêtes.

— Elle m'a l'air bien grande pour une habitation ordinaire ; bien longue. Ce n'est pas un manoir non plus.

— En tout cas, ils ont de la place pour nous loger.

Après un tournant, ils découvrirent mieux les murailles et le toit. Les murailles, pour leur surface, avaient peu d'ouvertures. Le toit, vaste, modérément incliné, couvert d'ardoises, s'étageait à deux hauteurs différentes.

Ayant avancé encore, ils entendirent un bruit d'eau plus vif que celui qui montait de la rivière. Dressé comme un petit rempart, un talus précédait la maison. Du renflement de ce talus sortait un chenal à pente rapide qui faisait, plus bas, un coude vers la rivière. L'eau du chenal écumait et bondissait.

— Cela ressemble fort à un moulin », dit le plus âgé.

— Ce serait celui dont ils nous ont parlé là-bas ? Drôle d'emplacement.

— Qu'a-t-il de drôle ?

— D'habitude un moulin ne se loge pas dans un désert.

— Mais ce n'est pas un désert. Regarde là-haut à gauche cet autre sentier qui descend à travers les bois. Il doit rejoindre celui-ci quelque part au delà de la maison ; peut-être à l'endroit où l'on voit cette éclaircie dans les feuillages. C'est plutôt que, si je me rappelle bien, le moulin ne devait pas se trouver sur notre route.

Ils s'arrêtèrent.

— Ah ! Qu'est-ce que monsieur avait compris ?

— Que nous avions à éviter le moulin. Autrement dit, que nous reconnaîtrions le bon chemin à ceci, qu'il laissait le moulin de côté.

— Moi, ce n'est pas ce que j'avais compris.

— Eh bien ?

— J'avoue que leurs histoires étaient très embrouillées. Ils se coupaient la parole l'un à l'autre. Surtout ils avaient l'air de ne pas y aller franchement, et de vouloir en faire entendre plus qu'ils n'en disaient.

— Tu les as écoutés mieux que moi. Ils finis-

saient par me fatiguer. A ton avis, que cher-
chaient-ils à nous faire entendre ?

— Vous vous souvenez : vous leur aviez dit
que vous vouliez passer en Champagne ; mais que
vous aimiez autant les routes peu fréquentées.

— Oui.

— Ils ont commencé par s'emberlificoter dans
une explication où ce qu'il y avait de plus clair,
c'était que nous devions prendre par Saint-Broing-
les-Moines. Je me rappelle le nom.

— Oui, oui... Moi aussi.

— Puis celui qui était tout courbé a dit à l'autre que d'aucuns à notre place n'iraient pas perdre
leur temps du côté de Saint-Broing-les-Moines.

— Oui, c'est possible.

— Ils se faisaient des clins d'œil comme des
farceurs.

— Ah ? Tu as bien vu ? Peut-être.

— Monsieur a dit : « Par où donc faut-il
passer ? » Alors, ils ont parlé de cette entrée de
vallon... que tout à l'heure nous avons bien cru
reconnaître...

— Oui, et il me semble qu'au moins là-dessus
ils ont été clairs.

— C'est à partir de là qu'il a été question d'un
moulin.

— Oui. Et moi j'ai compris que justement nous
avions à l'éviter... oui, que nous le verrions, mais
que nous aurions à prendre le chemin où il n'était
pas.

— Cela n'a pas de sens. Quand nous avons eu à choisir, à l'entrée du vallon, le moulin n'était pas en vue. Et maintenant qu'il est en vue, il n'y a qu'un chemin. Nous n'avons pas le choix.

— C'est vrai. Que penses-tu donc qu'ils aient voulu dire ?

— Je ne retrouve pas leurs mots. Ils ont peut-être parlé en effet d' « éviter » le moulin ; mais pas dans ce sens-là.

— Dans quel sens ?

— Je me souviens que je me suis dit sur le moment : « Ils nous indiquent ce moulin, parce qu'ils savent que nous sommes forcés de le voir. Mais ils n'ont pas envie que nous y entrions. »

— Ah bah !

— Et si nous entrons, ils nous conseillent de nous méfier.

— De nous méfier des gens du moulin ?

— Ou de ce qu'ils nous diront. Comme si les gens du moulin devaient essayer de nous détourner.

— De nous détourner de quoi ?

— Essayer de nous faire croire que nous ne sommes pas sur le bon chemin ; et de nous en faire prendre un autre.

— Quoi qu'il en soit, tu n'as pas compris que ces gens du moulin essayeraient de nous dépouiller, ou de nous tuer ?

— Non !

— Ni qu'il y avait un danger quelconque à loger chez eux ?

— Non, il ne me semble pas.

— Alors, comme je crève de fatigue, je vais faire tout ce que je pourrai pour qu'ils nous donnent à coucher. Ce qu'ils nous diront ou ne nous diront pas n'a aucune importance. Nous verrons demain.

Ils se remirent en marche.

— Mais puisque les propos de ces deux bonshommes t'avaient paru bizarres, tu aurais dû m'en parler ensuite.

— Monsieur avait entendu comme moi. Monsieur avait l'air de trouver cela tout naturel. J'ai pensé que j'avais l'esprit mal fait.

— Et ici, aux gens de ce moulin, qu'allons-nous raconter ?

— La même chose que d'habitude ?

— S'ils s'étonnent que nous ayons pris par ce fond de vallon ? S'ils insistent pour nous remettre sur le bon chemin ; ou sur ce qu'ils prétendront être le bon chemin ?

— Monsieur répondra que pour ce soir nous n'en pouvons plus. Que nous verrons demain, justement. D'ici là je tâcherai de faire causer les serviteurs — je pense qu'il y en a — et de découvrir le mystère — s'il y a un mystère.

II

Après avoir grimpé sur le talus par une petite
rampe qui se présentait de biais, ils s'arrêtèrent
devant le mur latéral de la maison. Il était large
d'une trentaine de pieds, percé d'une porte au
rez-de-chaussée, de deux petites fenêtres très espa-
cées à l'étage, ainsi que d'un jour à hauteur
d'homme, et d'une lucarne dans le pignon. Ils
s'abstinrent d'appeler, pensant que le pas des chevaux avait suffi à les annoncer, ou qu'on finirait
par les apercevoir de l'une des fenêtres.

Ils continuaient d'entendre derrière eux le flot
du chenal dégringoler en éclaboussant l'herbe,
puis plus bas les arbustes. De la maison venait
une rumeur faible et mêlée, où il y avait bien, si
l'on voulait, des grincements de roue, un ronron
et des grognements d'engrenages, mais où l'on
pouvait aussi reconnaître des voix. Ce n'étaient
pas des éclats de voix. On eût cru plutôt au murmure d'une conversation lointaine et nourrie. Enfin une eau souterraine roucoulait, tout juste,
semblait-il, sous les pieds des chevaux, tandis que

se respirait une odeur maintenant bien distincte de son et de farine.

La porte s'ouvrit. Un homme parut, jeune encore, qui avait la mine et la mise d'un domestique de campagne. Il dévisagea sans mot dire les deux voyageurs.

— Bonjour ! fit le plus âgé. « Nous sommes très las. Nous avons fourni depuis ce matin, mon valet et moi, une longue course. Ne pourrions-nous pas entrer un peu ? nous reposer ?... qui sait, manger un morceau ? Je paierai, bien entendu.

— Je vais voir », dit l'homme. Et il disparut en refermant la porte sur lui.

Ils attendirent quelques minutes.

— Ça n'a pas l'air de marcher tout seul », dit le valet en descendant de cheval.

— Et je n'ai pas parlé de loger, pour ne pas les effaroucher », dit le maître.

La porte se rouvrit enfin. Un autre homme, beaucoup plus gros, d'une cinquantaine d'années, se montra sans franchir le seuil. Il avait un large visage, qui n'était ni sombre ni malveillant. On y voyait seulement l'habitude de la prudence. Sous de lourdes paupières, les yeux étaient d'une vigilance très alerte.

Celui des deux voyageurs qui était le maître sauta de cheval lui aussi, et après avoir remis la bride à son valet, s'avança en saluant.

— C'est vous qui demandez à entrer ? » dit le gros homme.

— Oui. Vous nous rendriez grand service .

— D'où venez-vous ?

— Oh ! de loin ! » Le voyageur tâcha de faire son sourire le plus rassurant. « Nous sommes en route depuis près de trois jours. Nous nous sommes trompés de direction plusieurs fois.

— Et où allez-vous ?

— Je vais rejoindre un de mes parents, qui vit en Champagne.

— En Champagne ? » Le gros homme plissa le front : « Qui vous a donné l'idée de passer par ici ?

Le maître et le valet échangèrent un coup d'œil.

— Oh !... » répondit prudemment le premier, « des gens... Oui, des gens à qui nous avions demandé de nous indiquer un chemin bien tranquille. Vous savez qu'en ce moment les grandes routes ne sont pas très sûres. On tombe à chaque instant sur une bande ou une autre. Ce que nous souhaitons, nous, c'est de n'avoir maille à partir avec personne. Tant pis si cela nous fait faire un détour.

Le visage du gros homme s'éclaira d'un rien.

— Où étiez-vous ce matin ? » dit-il.

— Attendez... dans un pays tout près de Bligny.

Le gros homme plissa le front de nouveau et parut s'interroger.

— Et c'est là qu'on vous a donné le renseignement ?

— Non. C'est à mi-chemin entre Bligny et ici. » Le voyageur hésita un peu. « Je crois me rappeler : dans une auberge qui est auprès d'un grand chêne vert.

— Ah ! » Le gros homme ne marqua en rien qu'il eût connaissance de l'endroit. « De quel côté de la Champagne allez-vous ?

— A un château nommé Hautevelle, qui est proche d'un bourg nommé Vandeuvre.

L'homme leva les épaules :

— Je ne connais pas. Mais ce que je puis vous dire, c'est qu'en continuant par ici vous n'arriverez nulle part.

Le maître et le valet échangèrent un nouveau coup d'œil.

— Nulle part... pourtant... » fit le maître.

— En vous donnant beaucoup de peine, et en risquant de casser une patte à vos chevaux, vous aboutirez peut-être à quelque hameau dans les bois. Mais ensuite vous ne pourrez rattraper aucun grand chemin. Vous vous perdrez. Vous finirez par revenir.

Le voyageur prit son air le plus navré, et tourna très ostensiblement vers son valet un regard de détresse.

— Enfin ! » soupira le gros homme. « Attendez ici. » Il rentra dans la maison.

Les deux voyageurs se remirent à patienter. La

même sorte de bruits et d'odeurs leur tint compagnie : derrière eux, le chenal ; sous leurs pieds,
l'eau souterraine ; naissant des profondeurs de la
maison, le mélange des voix, peut-être plus atté-
nué qu'auparavant et parfois interrompu ; dans
l'air qu'ils respiraient, le picotement du son et de
la farine.

Puis ils virent paraître, à l'angle gauche du mur,
du côté où devait régner la façade principale, un
garçon, qui avait l'air comme le premier d'un
domestique, et une servante.

— Je vais conduire vos chevaux à l'écurie » dit
sans amabilité le garçon, en rassemblant dans sa
main les deux brides. « Vous, suivez la demoiselle.

Tandis que le garçon, tirant les chevaux, repar-
tait par la gauche, la servante, précédant les voyageurs, leur fit contourner l'angle opposé. Ils virent
alors s'étendre la façade arrière qui regardait le
ruisseau, et n'était séparée de la pente, toute foi-
sonnante de jeunes arbres et d'arbustes, que par
un terre-plein d'une faible largeur. C'était cette
face de la maison qu'ils avaient d'abord aperçue
en venant. Les ouvertures y étaient en effet peu
nombreuses, malgré la longueur de la bâtisse. Au
bout, la partie plus basse de la toiture correspondait à un retrait de la muraille.

En même temps l'on découvrait un bruit nouveau, qui était encore celui d'une eau mouvante,
mais pourtant ne se pouvait confondre ni avec
celui de la rivière, ni avec celui du chenal. Comme

certains grincements s'y mêlaient, le voyageur
crut en reconnaître la nature, et dit à la servante :

— N'est-ce pas la roue qu'on entend ?

— Oui. Elle se trouve là-bas. Elle ferait encore
bien plus de bruit s'il n'y avait pas le toit et les
murs !

— Elle n'est donc pas en plein air ?

— Non. Elle est collée contre le bout de la maison. Elle tourne dans une fosse, n'est-ce pas ? Et
le mur est percé pour le passage de l'arbre. Mais
le toit se prolonge par-dessus, et aussi les deux
murs par côté. Ce qui met la roue dans une espèce
d'abri, et ce qui fait aussi que le bruit s'en va
plutôt dans l'autre direction, celle qui n'est pas
fermée par un mur.

— Où est l'écluse ?

— Un peu plus loin derrière.

— Le chenal qui sort du talus, et que nous
avons vu en arrivant, vient de la roue ?

— Oui.

— Il passe donc sous le bâtiment ?

— Oui ; dans toute la longueur. Cela au moins,
c'est commode, et ce n'est pas de trop ; car sous
d'autres rapports, vous ne trouveriez pas facilement une maison qui soit aussi mal distribuée, ni
où vous avez à faire d'aussi longs voyages.

— En quoi est-ce commode ?

— On jette les ordures dans le chenal, sans se
déranger. L'eau entraîne tout. Dame ! cela fait

plus d'humidité. En cette saison, on ne le sent guère.

Les voyageurs estimèrent que, pour une servante de campagne, elle s'expliquait bien clairement, et avec autorité. Ils se communiquèrent cette impression par une grimace admirative. Au vrai, on ne l'eût pas prise pour une servante, si le garçon préposé aux chevaux n'avait pas semblé la traiter comme telle.

Pour répondre à leurs questions, elle s'était arrêtée devant une petite porte, située au premier tiers environ de la façade. Elle l'ouvrit. Tous trois s'engagèrent dans un court vestibule, qu'éclairait l'imposte de la porte, tombèrent d'équerre sur un couloir en longueur qui devenait très obscur, le prirent à main droite, en tâtonnant, mais n'y firent que quelques pas. La servante les introduisit dans une petite pièce à droite, entièrement boisée de sapin nu, meublée d'une table et de trois bancs. Des portes de placards se distinguaient dans la boiserie des cloisons. Une petite fenêtre à croisillons laissait voir la cime des feuillages de la pente toute proche, et au delà ceux du versant d'en face.

— Qu'est-ce que je vais vous apporter ? » dit la fille.

— Avez-vous un peu de saucisson, et de fromage ? Du vin aussi, naturellement, et du pain ?

— Depuis toutes ces guerres, et tout ce brigandage, de ci de là, le saucisson est devenu très rare.

Oh ! nous en avons, pour la maison. Mais pas
assez pour en offrir... Quant au fromage, je vais
voir. Le vin, ça, il y en a. Avouez qu'autrement,
en Bourgogne, ce serait malheureux.

— Et le pain ?

Elle rit :

— S'il n'y avait pas de pain chez un meunier,
c'est que le monde serait décidément à l'envers.
Non !... nous n'en avons encore jamais manqué.
Ce n'est peut-être pas pareil dans les villes, ni là
où il se fait beaucoup de passages de troupes. »
Elle regarda le voyageur. « Vous n'êtes pas officier ?

— Non.

— Mais vous êtes gentilhomme ?

— Quelque chose comme cela. » Il fit un léger
rire. « Des troupes, vous ne devez pas en voir
souvent ?

Elle prit un air de réserve :

— Non, bien sûr.

— Que viendraient-elles faire par ici ?

— Oh !... vous en avez toujours qui cherchent
à échapper, et plus un endroit leur semble à
l'écart, plus il les attire. De l'autre côté, vous
avez ceux qui poursuivent. Et c'est dans les coins
qui pourraient servir de cachettes qu'ils sont ten-
tés de fouiller.

Le présumé « gentilhomme » parut méditer ce
propos.

— Et de quoi voyez-vous le plus ? » insinua-t-il.
« Des Huguenots ou des Ligueurs ?

— Cela dépend des moments » dit-elle en gardant sa réserve. « Sans compter ceux dont on se demande qui ils sont. » Elle ajouta : « Maître Cornaboux tient d'abord à ne pas être mêlé à toutes ces affaires de religion.

Sur ces mots, elle se retira.

Le valet dit, en inspectant les lieux :

— Où sommes-nous exactement ?

— Dans un moulin !

— Oui, oui. Mais quelle est cette pièce ?

— Elle ressemble à une petite salle de cabaret. Sauf qu'il n'y a ni verres, ni pots, ni bouteilles. A moins qu'on n'en trouve dans ces placards.

Ils continuaient d'entendre les bruits mêlés. Les grincements et grognements de roues et rouages semblaient maintenant venir de toutes les épaisseurs de la bâtisse, et s'accompagnaient d'un léger tremblement dans les boiseries. La rumeur des voix se distinguait à peine. On pouvait croire qu'elle avait été une illusion. L'odeur de son et de farine était devenue déjà quelque chose d'habituel. Le plateau de la table se voilait d'une pellicule de poudre blanche.

— Piquereau, est-ce que je me trompe ? Mais on entend bien toujours un bruit de voix, n'est-ce pas ?

— Oui. Mais moins net que tout à l'heure.

— Ah ! Tu l'avais remarqué, toi aussi ? Qu'est-ce que ce peut être ? Des clients du moulin, qui causent et discutent ? Mais est-ce que dans un moulin le mouvement de clients est si grand que cela, et si continuel ?

— En effet » dit le valet. « On penserait plutôt à une auberge.

L'autre, à ce moment, se sentit envahi par une torpeur délicieuse. Il avait envie non de s'interroger, mais de goûter à la fois et confusément l'odeur de bois et de farine, les fines rumeurs mêlées, le sentiment de clôture, l'idée même d'être au fond d'un vallon perdu, au bout du monde, et, pour un temps au moins, hors d'atteinte. Tout ce à quoi il aspirait, c'était à rester là, à dormir la nuit prochaine dans un des coins de cette maison odorante et vibrante, à y passer d'autres nuits encore, le plus de nuits possible.

La servante revint :

— J'ai réussi à me faire donner pour vous un bout de saucisson, et ce quartier de fromage. Il faut croire que vous avez plu à Maître Cornaboux.

Ils la remercièrent. Ils se mirent à manger et à boire. Elle les regardait, debout, ne semblant pas pressée de repartir.

Le voyageur aux façons de gentilhomme s'enhardit à demander :

— L'on trouvera bien le moyen de nous loger ici, n'est-ce pas ?

— De vous loger ? Je n'ai entendu parler de rien.

— Il est déjà si tard. Nous sommes épuisés ; nos bêtes aussi. Ce n'est certainement pas la place qui vous manque... Vous n'allez pas nous obliger à coucher dehors, ou à marcher toute la nuit ?

Elle hésitait à répondre.

— Vous savez » dit-elle enfin, « Maître Cornaboux n'aime guère à loger des inconnus.

— Des inconnus qui pourraient être dangereux, soit ; mais de pauvres voyageurs comme nous !

— Nous ne voulons pas nous attirer d'ennuis.

— Quels ennuis ?

— Souvent on nous interroge. On nous accuse de cacher des gens, que nous n'avons même pas vus ; ou l'on nous reproche de les avoir simplement abrités. C'est une époque qui n'est pas ordinaire. Il n'y a que ceux qui n'ont pas de cœur qui s'en tirent.

— Personne ne s'informera de nous. Personne par ici ne nous connaît.

— Pourtant Maître Cornaboux a dit que c'était dans une auberge sur la route qu'on vous avait indiqué de prendre par ici. Donc on supposera que vous vous êtes arrêtés au moulin.

— On prendrait la peine de le supposer, si l'on avait quelque raison de s'occuper de nous... Mais ce n'est pas le cas.

La servante les examina d'un regard calme ; puis réfléchit encore, et baissant la voix :

— A votre place, je resterais dans cette petite pièce, tant qu'on ne viendrait pas me dire de partir. Une fois que la nuit serait tombée, on n'aurait guère le courage de vous mettre dehors. S'il faut, à ce moment-là, je dirai un mot à Maître Cornaboux.

Elle les quitta de nouveau. Le jour baissait en effet. Il se trouva que leur désir à tous deux était de se taire. Les bancs étaient un peu étroits. Pourtant, les coudes bien appuyés sur la table, l'on se reposait. La grande fatigue, sans clore les yeux, donnait aux pensées des tournoiements qui ressemblaient au sommeil.

III

Le retour de la servante les tira de leur demi-
assoupissement. Ils s'aperçurent qu'elle tenait un
chandelier, et qu'il faisait presque nuit. Elle apportait aussi une soupière et deux écuelles, qu'elle
posa sur la table avec le chandelier.

— Maître Cornaboux veut bien que vous couchiez » dit-elle. « Je lui ai parlé... Mais il a pensé
que dans ce cas vous ne seriez pas fâchés de manger encore un peu. Vous faut-il aussi de la boisson ?

— Oui... du vin, peut-être.

Elle en alla chercher une bouteille, se laissa
faire beaucoup de remerciements, et annonça
qu'elle reviendrait plus tard pour leur montrer
où ils coucheraient.

Ils se félicitaient de la tournure des choses, tout
en mangeant la soupe qui était épaisse, où na-
geaient même plusieurs morceaux de lard. Ils
burent leur vin sans hâte.

Ce fut non pas la servante qui reparut, mais
un valet ; celui qui s'était chargé des chevaux. Il

n'avait pas l'air mieux disposé que la première
fois. Il tenait une lanterne.

— Vous allez nous conduire ? » demanda le
maître.

— Oui.

— Nous nous arrêterons d'abord à l'écurie.
Nous avons des choses à prendre. S'est-on occupé
de nos chevaux ?

— Oui. Ils ont eu à boire et à manger.

Il les fit continuer sur la droite par le même
long couloir parallèle au mur de façade. Le chenal devait passer juste en dessous, car l'on entendait distinctement l'eau courir tout près du plancher. Mais le murmure en fut bientôt recouvert
par les grondements et grincements de la machinerie du moulin qui se renforçaient à chaque pas.
Toutes les cloisons étaient de bois, ou revêtues de
bois, ce qui faisait peut-être que les divers bruits
devenaient à la fois plus doux et plus vibrants. Ils
arrivèrent à un carré où le couloir se terminait
contre une cloison toute frémissante. Cette cloison présentait d'abord une saillie, munie d'une
petite porte, puis une seconde porte, puis s'étendait sur la gauche, bordée d'un couloir plein
d'ombre ; et semblait ainsi couper transversale-
ment la maison. D'un balancement de sa lanterne,
le garçon leur montra sans mot dire à droite du
carré un escalier étroit qui s'enfonçait dans la boiserie et disparaissait dans un coude. D'un autre

balancement il leur désigna, en face, la saillie, et
la petite porte :

— Les lieux ! » prononça-t-il, plutôt fièrement.
« De chez vous, vous n'aurez qu'à descendre l'escalier.

Puis ils prirent à main gauche le couloir qui
longeait la cloison frémissante. Ils arrivèrent devant une nouvelle porte, au bout du couloir. Le
garçon l'ouvrit.

Les deux voyageurs découvrirent, dans l'éclai-
rage d'une grosse lanterne qui pendait à une
solive, un local dont l'orientation et la profondeur les surprirent ; car ils pensaient avoir traversé la maison dans toute sa largeur, et s'attendaient plutôt à trouver là une sortie sur la façade
principale. Ils réfléchirent que ce devait être un
corps de bâtiment en retour, non visible de l'endroit par où ils étaient arrivés.

L'odeur les avait déjà prévenus qu'ils avaient
affaire à une étable ou à une écurie. C'était en
vérité les deux à la fois. Ils distinguèrent sur la
gauche une rangée de bêtes à cornes ; sur la droite
plusieurs chevaux.

Les deux leurs, encore sellés et chargés, occupaient le bout du rang. Ils paraissaient plus ou
moins endormis. Comme des touffes de fourrage
restaient pendantes au ratelier, il était à croire
qu'ils avaient mangé à leur faim.

— Nous allons les débarrasser de leurs selles,

et de tous ces paquets » dit le présumé gentilhomme. « Ils se reposeront mieux.

— Oui » dit le garçon. « Nous pouvons mettre
tout ça dans une pièce qui est à côté. Ça ne risque
rien. » Il s'était un peu radouci.

Ils firent à leurs bêtes quelques tapes d'amitié,
prirent dans leurs paquets ce dont ils avaient besoin pour la nuit, aidèrent le garçon à caser le
reste, avec les deux selles, dans un coin du réduit
en question où s'entrevoyaient des chaudrons, des
baquets, des jougs posés contre le mur.

Puis, derrière le garçon et sa lanterne, ils rega-
gnèrent l'entrée de l'écurie, refirent le chemin le
long de la cloison frémissante, et montèrent par
l'escalier étroit qui s'enfonçait dans la boiserie. A
l'étage, ils retrouvèrent ce qui devait être le haut
de la grande cloison frémissante, avec un palier
semblable au carré d'en bas, et la réplique des
deux couloirs en équerre : le longitudinal et le
transversal. Mais en face d'eux, à la place de la
saillie et de la petite porte d'en bas, s'ouvrait,
vers ce qui semblait être la partie de la maison
réservée à la machinerie, une continuation du couloir longitudinal.

Le garçon les conduisit par le couloir qui suivait la grande cloison. Bien avant le bout, il les
fit prendre sur la gauche un autre petit couloir,
dont on avait le sentiment qu'il s'insinuait au
cœur de la maison même. Les bruits de machinerie, quoique toujours présents, commençaient à

diminuer. En revanche le bruit de voix semblait augmenter à chaque pas.

Le garçon s'arrêta devant une porte basse, à droite ; l'ouvrit. Ils pénétrèrent dans une pièce à forme bizarre : d'abord une partie étroite, et comme étranglée ; la cloison de gauche n'allant pas jusqu'au plafond, et laissant place à une soupente ; puis un élargissement sur la gauche. Dans cet élargissement, et occupant le premier coin, il y avait un lit étroit, abrité sous une avancée de la soupente ; emplissant l'autre coin, en face du lit, un arrondi de la cloison, assez ample pour que pût se loger derrière un corps de cheminée de grande taille, ou un escalier tournant. En face de l'entrée, une petite fenêtre. Le mobilier comportait, en plus du lit, un petit bahut, entre l'arrondi et la fenêtre ; une table et des escabeaux contre la cloison de droite. Le plafond, fait de planches bien jointes, était à deux hauteurs : plus élevé dans la première moitié de la pièce — celle qui correspondait à l'étranglement et à la soupente, et supporté là par de légères solives visibles— plus bas dans la seconde partie, où les solives se dissimulaient dans le parquetage. L'ensemble de la pièce était calfeutré et luisant.

— Où couchera mon valet ? » demanda le présumé gentilhomme.

Le garçon fit un geste vague :

— De l'autre côté.

— Quoi ? Dans une autre partie de la maison ?

— Oui.

Le voyageur eut le temps de réfléchir qu'après tout rien ne prouvait que ce moulin, si curieusement retiré, ne fût pas une caverne de brigands ; et qu'en tel cas la première précaution à prendre, quand on avait la chance d'avoir un compagnon, était de s'en séparer le moins possible, surtout de nuit.

— Pourquoi » dit-il, « mon valet ne coucherait-il pas ici, dans la soupente ? Il ne doit pas être difficile d'y installer une paillasse.

Mais comme en même temps il jetait un coup d'œil à son valet pour lui demander appui, il vit que le nommé Piquereau, plus séduit à la perspective d'une vraie chambre et d'un vrai lit, qu'à celle d'une paillasse dans une soupente, faisait une grimace résignée, comme si le caprice d'un maître le privait d'avance de son repos.

— Ça ferait tout un travail » dit le garçon. « Votre valet ne sera pas bien loin. Et il dormira mieux à son aise.

Le voyageur était trop las pour discuter. Il dit tout de même :

— Allons voir où vous le logez. Il faut que je connaisse le chemin. Je puis avoir besoin de lui.

— Ce n'est pas la peine » dit Piquereau, qui craignait peut-être des complications. « Moi, je reviendrai ici dans quelques moments. Je vous expliquerai.

Le voyageur les laissa partir. Il resta seul avec une chandelle allumée sur la table, et une autre, éteinte et tout juste entamée, dans une lanterne accrochée au mur. Il s'allongea sur son lit, mais ne s'endormit pas tout à fait. Bien que ses idées fussent pleines de confusion, à demi dissoutes dans des rêves, il resta capable de s'apercevoir qu'en peu de moments cette grande maison était devenue beaucoup plus silencieuse. Quelques craquements, quelques grincements lointains, erraient encore dans la charpente. Parfois résonnait une voix qui semblait assez proche ; mais la rumeur continue et nourrie avait cessé. En revanche, des bruits de chevaux — sabots et gourmettes — s'entendaient au dehors. Certains gémissements doux devaient provenir des feuillages nocturnes. Quant à l'odeur de son et de farine, elle ressemblait à une déjà vieille habitude, inséparable du sentiment de maison et d'abri.

Il ne sut pas combien de temps son valet avait mis pour revenir.

— Ah ! c'est toi ? Où es-tu logé ?

— Vous vous rappelez, en haut de l'escalier, nous avons vu un couloir devant nous. On prend par là. Ensuite, il faut traverser une grande salle, où il y a quantité de sacs, de grain à ce que je crois, et des armoires tout autour. Moi je suis dans une petite pièce qui est au fond à droite.

— Si je comprends bien, tu es au plein milieu

du moulin même et de la machine ? Il doit s'y
faire un vacarme du diable.

— Pas à cette heure-ci. C'est plutôt l'odeur du
grain qui serait très forte. Jamais je n'aurais pensé
qu'un endroit pourrait sentir le grain à ce point-
là. J'espère que cela ne va pas me saouler la tête
et me donner des cauchemars... Autrement la
chambre est très convenable. J'ai un vrai lit, et
un escabeau.

— Eh bien ! profites-en. J'espère qu'on ne nous
assassinera pas chacun dans notre coin.

— Vous savez, moi, j'ai le sommeil léger. Monsieur n'aurait qu'à crier très fort. J'entendrais.

— J'aime autant ne pas m'y fier.

— Pour le moment, vous n'avez besoin de
rien ?

— Non. J'ai même, tu vois, un pot d'eau sur
ma table.

IV

Quand il se réveilla le lendemain, il eut le sentiment que le jour était depuis longtemps levé. Les
grondements et grincements assourdis emplis-
saient de nouveau la maison. Mais toute cette
boiserie close comme un coffre en faisait un ron-
ron apaisant.

Il ne quitta pas son lit aussitôt. Il éprouvait des
courbatures, et surtout une lassitude profonde. Il
attendait que les événements décidassent pour lui.

Comme on frappait à la porte, il répondit qu'on
entrât. C'était la servante de la veille.

— Vous voulez manger quelque chose ?

— Oui. Mais j'aimerais bien me laver d'abord.

Elle revint une première fois avec un pot d'eau
chaude et une cuvette ; une seconde fois avec un
seau, une petite écuelle à demi-pleine d'une pâte
à savonner, et un grand linge blanc.

— Vous saurez retrouver l'endroit où vous avez
soupé hier soir ? » demanda-t-elle.

— Je n'en suis pas sûr.

— J'enverrai votre valet vous chercher. Il est déjà en bas.

— Pourquoi n'est-il pas venu me voir ?

— Il a frappé à votre porte, voici une heure. Mais vous dormiez. Il nous avait dit qu'il voulait vous apporter lui-même les choses pour votre toilette. Mais tout à l'heure, quand je suis descendue, il venait de partir du côté des chevaux. Cela m'aurait pris plus de temps à le chercher.

Resté seul, le voyageur jeta un coup d'œil par la fenêtre. Il vit qu'il était bien sur la façade principale, tournée vers la pente montante du vallon, qui devait être le nord-ouest. Il vit aussi sur la droite le corps de bâtiment en équerre où se plaçait l'écurie-étable. De ce côté, une murette en quart de cercle, munie vers son milieu d'une grande porte à claire-voie, faisait du terre-plein une cour fermée.

Piquereau parut un peu plus tard.

— Eh bien ! le grain ne t'a pas donné trop de mauvais rêves ?

— Non. Mais le tapage du moulin, qui a commencé tout à coup, m'a éveillé en sursaut. Je n'ai pas pu me rendormir.

— Tu t'es occupé des chevaux, paraît-il ?

— Oui. Ils vont bien.

— Tu as vu des gens de la maison ?

— Oui. Le garçon de l'écurie. Et puis l'autre valet, à qui nous avons eu affaire en arrivant. Un autre encore, qui se battait avec les sacs de grains.

Mais tout ce monde avait l'air très pressé. Je n'ai guère pu causer, un moment ou deux, qu'avec la servante, celle que vous connaissez. Elle s'appelle Toinon.

— Donc, tu as circulé un peu partout.

— Non. En descendant de ma chambre, j'ai suivi ce long couloir, vous savez. J'ai reconnu la porte de la petite salle où l'on nous avait mis hier soir. J'ai trouvé Toinon, qui m'a fait entrer dans la cuisine, ou plutôt dans une pièce qui est à côté. J'ai mangé un morceau, pour passer le temps. En dehors de cela, je ne suis allé qu'à l'écurie.

— De quoi avez-vous parlé, cette fille et toi ?

— Elle m'a demandé qui vous étiez au juste.

— Tu as répondu ?

— Qu'elle ferait mieux de vous le demander à vous-même.

— Oh !... Tu n'as pas été trop malgracieux ?

— Je le lui ai dit très gentiment, sur le ton de la plaisanterie. J'ai bien compris que c'était de la part de son maître qu'elle me questionnait.

— Pour une servante, elle me semble tenir bien de la place dans la maison. Ne trouves-tu pas ?

*
* *

Quand ils furent assis dans la petite salle, la servante Toinon vint leur offrir de la soupe, et du lard froid qu'ils purent manger avec du pain bis.

Comme la veille, elle paraissait vouloir s'attarder
auprès d'eux. Peut-être cherchait-elle à les interroger de nouveau. Le présumé « gentilhomme »
prit les devants :

— J'aimerais bien expliquer à votre maître qui
nous sommes. Après tout, il a le droit de savoir
qui il héberge. Ne pourrais-je pas lui parler ?

La servante fit une moue :

— Dites-le à moi. Je le lui répèterai.

— C'est assez compliqué. Cela peut facilement
se répéter de travers.

— Non, non » fit-elle avec confiance. « J'écou-
terai bien.

— Pourquoi ne puis-je pas le voir ?

Elle leva les épaules :

— Si les choses ne sont pas comme il faut, il
ne veut peut-être pas être censé l'avoir su...

Le voyageur sourit, dévisagea la fille qu'il continuait à juger bien subtile pour son état. Puis :

— Vous connaissez la ville de Beaujeu, de
nom ?

— Oui, de nom. C'est quelque part assez loin,
en tirant sur le Lyonnais ?

— Bon... Et vous savez naturellement ce que
c'est que le maire d'une ville ?

— J'en ai une petite idée.

— Eh bien ! Je suis le maire de Beaujeu. Je
m'appelle Ruchard, François Ruchard ; pas exactement gentilhomme, mais de bonne famille bour-
geoise.

Elle sembla fort étonnée ; et resta un moment silencieuse, en examinant le maître, puis le valet qui prit un air de goguenardise cafarde.

— Pourquoi êtes-vous par ici ? » dit-elle.

— Ah ! voilà ! Je l'expliquerai à votre maître, dès que je pourrai lui parler. Faites-lui d'abord ma commission.

Ils se levèrent.

— C'est bien de ce côté-ci qu'on sort de la maison, n'est-ce pas ?

— Vous voulez partir maintenant ?

— Non... non... C'est même un sujet dont j'aimerais causer avec votre maître. Pour l'instant, j'ai seulement envie de respirer un peu l'air frais.

Elle hésita, puis :

— Si ce n'est pas pour partir tout de suite, il vaut mieux ne pas trop vous montrer dehors.

— La raison ?

Elle parut chercher :

— Il peut y avoir un inconvénient. Vous ne vous doutez pas des gens qui rôdent par ici, prêts à tout soupçonner... ni des questions qu'on nous fait parfois. J'aimerais mieux que Maître Cornaboux donne d'abord son avis.

— En attendant, que pouvons-nous faire ?

— Oh !... rester ici... ou remonter dans votre chambre... comme vous voudrez.

Ils adoptèrent le second parti.

— Nous sommes comme qui dirait prisonniers » murmura le valet tandis qu'ils longeaient le couloir.

— Si je comprends bien, ils ne nous empêchent pas de partir. Ce qu'ils ne veulent pas, c'est que, pendant que nous restons ici, nous nous laissions voir sans nécessité. Mon Dieu ! ils ont peut-être des précautions à prendre, ici comme ailleurs.

Arrivés au palier de l'étage, ils s'arrêtèrent. Piquereau demanda :

— Je vais avec monsieur ?

— Oh !... J'ai envie de m'étendre de nouveau sur mon lit. Tu peux aller en faire autant de ton côté.

— Ce n'est pas de refus. Pourvu que ce vacarme me laisse dormir.

— Montre-moi bien exactement où tu loges. Au cas où j'aurais à t'appeler.

— Vous voyez ce couloir, et la porte là-bas. Vous entrez dans cette salle aux sacs de grain dont je vous parlais. Au fond vous avez deux portes. Celle de droite est la mienne.

— Bon. Si par hasard tu apprends quelque chose, viens me le dire.

— Quelque chose... Mais je ne risque guère d'apprendre quelque chose comme ça ? couché sur mon lit ?

— Je ne pense à rien de particulier. Mais tu peux rencontrer quelqu'un, entendre ceci ou cela. Par exemple, tout ce bruit de voix d'hier soir, je me demande encore ce que c'est.

Ruchard regagna sa chambre, s'allongea sur son lit. Le temps ne lui durait pas. Les odeurs et rumeurs du lieu lui étaient agréables. Pour le moment il ne désirait rien d'autre que la continuation de cette tranquillité. Il n'était pas sûr que son valet fût exactement du même goût ; mais ce n'était pas impossible ; et ce n'était pas non plus très important ; car les humeurs de Piquereau avaient pris l'habitude de s'accorder finalement aux vues de son maître.

Comme il gardait les yeux ouverts, il goûtait le poli des planches bien jointes. Parfois il ne s'apercevait plus des bruits ni des odeurs. Parfois il y redevenait attentif ; et il lui semblait qu'à la clôture des boiseries s'ajoutait ainsi un supplément d'intimité et de protection.

Il entendait bien, de temps à autre, un éclat de voix, venant des profondeurs de la maison, ou tout un échange de propos, qui devait avoir lieu quelque part sur le terre-plein ou dans la cour ; mais rien de pareil à la rumeur nombreuse et continue de la veille.

Une heure ou peut-être plus avait passé quand la servante de nouveau se présenta :

— J'ai parlé à Maître Cornaboux. Je lui ai répété ce que vous m'aviez dit. Il ne s'explique pas bien la chose. Lui vous prenait pour un fugitif.

— Qu'il vienne bavarder avec moi ! Je lui expliquerai tout de mon mieux.

La fille sourit :

— Pour l'instant il est fort occupé avec le moulin. Et même si vous alliez le trouver, il se fait trop de bruit là-bas pour que vous arriviez à vous entendre. Je puis comprendre vos explications, vous savez.

Il sourit à son tour :

— Je n'en doute pas. Eh bien ! Maître Cornaboux ne s'est pas trompé. Je suis un fugitif.

— Mais fugitif d'où cela ? Pas de cette ville dont vous êtes le maire ? Ça ne paraît guère possible.

— C'est pourtant vrai.

Elle demande après avoir réfléchi :

— Vous êtes huguenot, ou catholique ?

— Catholique.

— Cette ville de Beaujeu est donc tombée au pouvoir des protestants ?

— Non. Les protestants n'y sont qu'une grosse poignée.

— Mais alors, qui vous a obligé de partir ?

— J'ai refusé de laisser pendre des protestants, qui n'avaient rien fait de mal.

— Et qui voulait les pendre ?

— Des enragés, plus papistes que le pape. Il faut dire surtout que ces protestants étaient riches, et qu'on espérait bien piller leurs maisons. Mais, en les défendant, je devenais un mauvais catholique. Pour me punir d'avoir sauvé ces protestants, les enragés se préparaient à me régler mon compte. J'en fus averti. J'ai réussi à m'enfuir, à la nuit noire, avec mon valet. Nous avons marché le plus vite possible, en évitant toutefois les grandes routes. Je crois qu'on a cessé de nous poursuivre depuis déjà loin d'ici. » Il rit : « Mais vous n'auriez pas de peine à trouver des gens qui nous estimeraient de bonne prise. Voilà. Nous sommes entre vos mains.

— Oh ! ce n'est pas moi qui vous vendrai.

— Votre maître non plus ?

— Oh ! pas lui !

Elle avait mis de l'emphase dans cette réponse. Ruchard la regarda. Ils restèrent un moment silencieux. Elle reprit :

— Cette auberge du Chêne-Vert. Vous ne connaissiez pas les gens ?

— Avant d'y être passé ? Nous avons rencontré l'auberge tout à fait par hasard.

— Comment ont-ils été amenés à vous parler de nous ?

— C'est quand je leur ai dit que nous allions en Champagne, et que nous préférions un chemin tranquille.

Elle réfléchit un peu :

— Et quel est déjà le nom de cet endroit où vous allez ?

Il réfléchit à son tour, puis éclata de rire :

— Il se nomme Hautevelle. Mais en vérité nous n'y allons pas.

— Où allez-vous donc ?

— Nulle part, hélas !

Elle le regarda, en montrant qu'elle ne comprenait pas.

— Il est bien vrai que j'avais un parent éloigné qui était l'intendant du château d'Hautevelle. Et je crois qu'Hautevelle est un peu dans la direction que nous avons prise. Mais je ne sais pas du tout si ce parent vit encore, ni s'il est toujours l'intendant de ce château, ni s'il a la moindre envie d'abriter un fugitif. Je ne sais même pas si, en définitive, j'essayerai de le trouver.

— Enfin, qu'allez-vous faire ? » dit-elle avec un sourire hésitant et apitoyé.

— Je me le demande. » Il ajouta, en affectant de nouveau la plaisanterie : « Vous vous figurez peut-être mal à quel point une situation comme la nôtre est difficile. Il est évidemment absurde de partir sans savoir où l'on va. Mais lorsqu'on est obligé de partir ?

— Et quand pensez-vous vous remettre en chemin.

Il répondit le plus gaîment qu'il put :

— Quand vous nous chasserez.

Elle affecta elle aussi de rire, et s'approcha de la petite fenêtre. Elle regarda distraitement dehors. Puis :

— Oh ! Si vous êtes fatigués, et si vous tenez absolument à rester un jour de plus, Maître Cornaboux n'est pas homme, je crois, à vous le refuser. Mais cela ne changera rien.

— Mademoiselle, si vous aviez jamais, ce qu'à Dieu ne plaise, à faire l'expérience d'un sort pareil au nôtre, vous découvririez qu'on apprend à se contenter de peu, même du côté de l'avenir. Un jour de plus ! Quelle aubaine !

Elle regarde l'extérieur plus attentivement ; elle fronça les sourcils :

— Quel jour sommes-nous ? Oui, mercredi... Il n'y aurait pas d'inconvénient à ce que vous couchiez dans cette chambre encore ce soir. Mais si vous ne partiez pas demain matin...

— Eh bien ?

— ... je pense que Maître Cornaboux voudrait vous loger ailleurs.

— Pourquoi ? Cette chambre-ci est promise à quelqu'un ?

— Heu... non... ce n'est pas cela.

Il crut bien faire de ne pas presser la question. Ce n'était pas le moment de se donner les façons d'un hôte incommode, ou trop curieux.

V

Dans les heures qui suivirent, il eut beau prêter attention, il ne saisit pas la rumeur nourrie de voix qui l'avait intrigué la veille. Sous sa fenêtre se faisaient quelques allées et venues. On entendait des pas d'homme, ou de cheval ; un craquement de charrette. Ou bien un éclat de voix, que n'absorbait pas le ronron des boiseries, traversait l'épaisseur de la maison. Mais rien de cela n'avait de quoi étonner dans un moulin.

Son valet vint le chercher. Le dîner leur était servi dans la petite salle d'en bas. Piquereau lui-même sortait tout juste de sa chambre.

— J'ai bien compris » dit Piquereau, « qu'ils ne tenaient pas à nous voir rôdailler ici et là. Je ne sais pas ce qu'ils craignent. Mais nous leur faisons plaisir en nous montrant le moins possible.

Pendant le repas, Toinon, qui s'occupait d'eux, se borna à des propos sans conséquences. Entre deux de ses apparitions, Piquereau fit cette remarque :

— Cela leur complique sûrement le travail que de nous servir ici à part. Mais ils ne veulent même pas que nous nous frottions dans la cuisine aux gens de la maisonnée.

— Et ces gens, combien sont-ils à ton avis ?

— En plus de Maître Cornaboux, et de la nommée Toinon, j'ai vu, comme vous, ce valet, qui nous a reçus le premier. Il s'appelle, attendez... Prosper. Puis ce garçon d'écurie. Je ne sais pas son nom. Plus un nommé Firmin, qui s'occupe avec les sacs de blé. J'ai aperçu, ce matin, encore un gamin ; et une fillette. Je ne serais pas étonné s'il y en avait encore un ou deux autres. La bâtisse est très grande.

Lui non plus n'avait pas entendu la rumeur de voix.

— Il est vrai que dans le tintamarre où je suis là-haut elle ne se distinguerait pas.

— Estimons-nous heureux » conclut le maire fugitif, « qu'il ne soit pas question de notre départ. Et après ce repas, nous remonterons dans nos chambres bien sagement. C'est peut-être un peu ennuyeux. Mais nous aurons la ressource de faire la sieste. Si nous avons à reprendre la route, qui sait quelles fatigues nous attendent !

Ils se retirèrent, en effet, chacun dans son coin. Deux bonnes heures avant la tombée du jour, Ruchard était encore allongé sur son lit. Où, d'ailleurs, pouvait-il se tenir ? Les escabeaux, pour qu'on y restât longtemps assis, étaient trop peu commodes.

Il avait d'abord sommeillé. Puis quelque suite et clarté dans les idées lui étaient revenues. Mais ni son esprit ni son corps n'avaient besoin d'agitation. Il s'amusait à rêver une vie se continuant ainsi : entre ces murs de bois et ces planchers vibrants, entre ces bruits lointains de roues et ces odeurs de son et de farine. Déjà la quasi certitude de passer la nuit prochaine dans cette clôture protectrice lui paraissait une immense faveur du sort.

Il entendit frapper à la porte. C'était Maître Cornaboux. Le meunier se présenta d'un air bonhomme :

— Toinon m'a répété ce que vous lui aviez dit. En voilà une aventure !

Dans le ton du propos, il semblait y avoir moins d'incrédulité que d'étonnement presque admiratif.

— Vous aviez de la famille ? » reprit-il. « Peut-être femme et enfants ?

— Non. Dieu merci, je suis célibataire. J'ai des frères et une sœur qui ont quitté le pays. Mes parents vivent encore. Mais ils sont à la campagne, à quatre lieues de Beaujeu. Je ne pense pas qu'on les inquiète.

— Avez-vous pu au moins leur faire vos adieux ?

— Oui ; plusieurs jours avant de partir. Je sentais déjà la tournure des choses.

— Votre valet non plus n'a laissé personne derrière lui ?

— Non plus. Sa famille n'est pas de Beaujeu. Oh ! il avait peut-être quelque bonne amie. Ce ne doit pas être bien grave.

— Ces parpaillots que vous n'avez pas voulu laisser prendre, ont-ils au moins réussi à se sauver ?

— Oui.

— De quel côté ?

— Je ne sais pas. Je me suis même arrangé pour ne pas le savoir.

— Vous en ont-ils eu de la reconnaissance ?

— Je le suppose. Je ne l'avais pas fait par amitié pour eux.

— Pourquoi l'aviez-vous fait ?

— Parce que je n'aime point qu'on tourmente les gens à cause de ce qu'ils croient, ou ne croient pas.

Le meunier ne répliqua rien. Il dit un peu plus tard :

— Et c'est vrai aussi que vous ne savez pas au juste où aller ?

— Oui. Je m'excuse de vous avoir parlé de ce château d'Hautevelle, où il est bien possible que j'aie toujours un parent, mais où il est encore plus possible que, parent ou non, l'on m'éconduise. » Il soupira, tout en riant : « Les fugitifs ne sont pas très désirés par le temps qui court.

Le meunier hocha la tête. Il semblait éprouver de l'embarras et de la sympathie.

— Il faudra pourtant » dit-il, « que vous preniez un parti. Vous avez bien un projet ?

— Non... Connaissez-vous par hasard un pays où personne ne s'occuperait de vous ? où l'on aurait le droit de croire ce qu'on veut, sans risquer le bûcher ou la potence ? même de ne rien croire ?... Indiquez-le moi tout de suite. Si ce n'est pas en Chine ou dans la lune, je ferai des prouesses pour y arriver.

Le meunier hocha la tête à nouveau, sourit, se gratta la joue.

— Nous y irions tous » finit-il par dire.

Ruchard se sentit soudain envahi d'aise. Il s'approcha du meunier, lui dit avec élan :

— Alors vous aussi vous pensez qu'on n'est pas obligé en conscience de pendre un parpaillot qui n'a rien fait de mal ?

Maître Cornaboux ne répondit que par un rire où subsistait de l'embarras. Il semblait comme au regret d'en avoir laissé entendre plus qu'il n'eût été prudent.

Puis il dit à mi-voix :

— Quand ces gens de l'auberge, là-bas, vous ont parlé de nous, ils savaient que vous étiez en fuite ?

— Nullement. Je racontais que j'allais en Champagne ; et que je me méfiais des trop grandes routes, à cause des mauvaises rencontres qu'on y peut faire ; c'est tout.

— Avez-vous deviné pourquoi ils vous conseillaient de passer par ici ?

— Je l'ai si peu deviné que mon valet et moi avions compris deux choses différentes ; lui, qu'on nous conseillait bien de passer par ici, mais de ne pas trop écouter ce que vous nous raconteriez...

— Tiens !

— ... moi, que c'était le moulin même qu'il fallait éviter, parce qu'il n'était pas sur le bon chemin. Je crois que c'est mon valet qui avait le mieux compris. D'abord, votre moulin n'est pas placé après un carrefour, ou une fourche. Quand on le voit, il n'est plus temps de se décider.

— Oui... oui... » Le meunier se frottait soigneusement le menton. « Oui... il y a des gens si méchants. Vous êtes sûr qu'ils ne vous ont pas parlé d'autre chose ?

— Du moins, cela m'a échappé.

Comme avait fait la servante, le meunier s'approcha de la fenêtre. Puis il se retourna, et d'une voix coupée d'hésitations :

— Si vous avez l'intention de rester encore demain ici, je vous demanderai peut-être de changer de chambre.

— Ce sera comme vous voudrez, bien entendu. Nous sommes déjà trop heureux que vous ne nous mettiez pas dehors. » Ruchard ajouta, en promenant les yeux autour de lui : « Je ne serais pas

sincère si je ne vous disais pas que je me suis déjà
attaché à ce coin-ci. Il y fait si plaisant, si doux !

Le visage de Cornaboux s'éclaira :

— Vous comprenez, je me sens porté à avoir
confiance en vous. Mais il me faudrait tout de
même vous connaître encore un peu mieux. On
est si souvent trompé, dans ce temps de misère,
ou trahi.

— Je ne vois pas bien » répondit Ruchard d'un
ton limpide, « comment je pourrais vous tromper,
encore moins vous trahir. Mais votre souci est en
soi tout naturel.

Comme le meunier tournait encore du côté de
la fenêtre, malgré lui semblait-il, un regard pré-
occupé, l'autre sentit une idée qui lui avait déjà
traversé l'esprit prendre de la consistance, et il
crut pouvoir insinuer, en déguisant d'un rire son
propos :

— A la réflexion, moi-même, si je logeais un
inconnu, je n'aimerais pas trop l'installer dans
cette chambre. Avec la fenêtre placée comme elle
est, quel espionnage on pourrait faire ! Je n'y avais
pas encore pensé. D'ailleurs j'ai passé tout mon
temps allongé sur le lit. Mais je me rends compte... Et je n'ai pas envie que plus tard, s'il se faisait
sur vous et votre moulin de méchants rapports,
vous puissiez vous dire : « Cela vient de ce maire
fugitif de Beaujeu, que j'ai eu la sottise d'accueillir et de bien traiter. » Car moi je garderai un bon

souvenir de vous. Je veux que vous gardiez un bon souvenir de moi.

Cornaboux fit un sourire très humain, sans trouver de réponse.

— Je regrette bien » poursuivit Ruchard, « qu'on ne puisse pas condamner cette fenêtre ; coller du papier aux vitres, par exemple ; et clouer une latte de bois qui empêche d'ouvrir.

— Cela rendrait la chambre bien peu plaisante.

— Oui. Si le papier était trop épais, et mangeait la lumière. Sinon... Pour moi, je me passerais fort bien de regarder au dehors. Quand je me repose sur ce lit, il me suffit de voir autour de moi ces boiseries luisantes. Elles s'arrangent on ne peut mieux avec mes pensées... Mais après tout l'autre chambre que vous aviez à m'offrir m'enlèverait peut-être tous mes regrets. Si nous allions la voir ?

— Je veux bien.

Maître Cornaboux le mena jusqu'au palier. Puis ils s'engagèrent dans le long couloir qui était la réplique de celui d'en bas, et où Ruchard n'avait pas eu l'occasion de pénétrer encore. De ce côté non plus aucun brouhaha de voix n'était perceptible. Le meunier ouvrit sur la gauche une porte qui ne devait pas être bien loin de correspondre à celle de la petite salle au rez-de-chaussée. Mais la pièce même semblait encore plus petite. Elle offrait un carré exigu, sans nulle particularité piquante, avec un étroit lit de bois pour tout mobilier.

— Bien entendu » déclara Cornaboux, assez timidement, « j'y ferais mettre une table et des escabeaux.

Il reprit :

—Oh ! je reconnais qu'ayant à y passer la journée entière, vous êtes beaucoup mieux là-bas.

Ruchard ne fit pas de réponse.

Le meunier le raccompagna jusqu'à sa porte, et lui dit en le quittant :

— Nous verrons cela demain matin.

VI

Le jour suivant commença par une visite de Toinon, qui apportait les accessoires de toilette.

Ruchard lui déclara de but en blanc :

— Dites à Maître Cornaboux que je suis tout prêt, naturellement, à changer de chambre, mais qu'en tout cas il n'a pas à se tourmenter. Je lui donne ma parole d'honneur de ne pas regarder par cette fenêtre. Même s'il venait dans la cour un escadron de trompettes, ou toute la maison du roi ! Et je n'en raconterais jamais rien à personne ; parce qu'au fond cela m'est égal. Je n'ai pas plus envie de bavarder sur le compte des autres que je n'ai envie qu'on bavarde sur le mien. Ce que je souhaite d'abord, c'est le repos, et l'obscurité.

Elle fit un sourire ambigu :

— Oh ! je ne sais pas ce que Maître Cornaboux au juste a pu vous dire, ni ce que vous vous êtes mis dans la tête. Mais ici nous n'avons rien à cacher.

— Bien sûr » répliqua-t-il en riant, « je n'aimerais pas découvrir que je suis tombé dans un rendez-vous d'assassins. Mais même dans ce cas
j'essayerais de ne rien savoir, et le moment venu
de m'éloigner discrètement. Dans la suite, si je
n'avais été l'objet ici, pour mon compte, que de
bons procédés, je me garderais bien de faire part
de ma découverte à qui que ce fût. Et là-dessus
Piquereau me ressemble... Donc ne craignez rien
de nous, de toute façon.

Elle reprit, en se forçant un peu :

— Depuis hier, avez-vous réfléchi à ce que vous
alliez devenir ?

— J'ai vaguement réfléchi. Je n'ai rien trouvé.

— Pourtant...

— Oui, oui, je sais. J'ai un peu d'argent sur
moi. Je n'en ai pas beaucoup. Il nous faudra, tôt
ou tard, quelque moyen de vivre. » Il eut un petit
rire : « Dommage que...

— Que ?...

— Que cet endroit-ci, au lieu d'être un moulin,
ne soit pas une auberge.

— Pourquoi ?

— Je ne sais aucun métier. Et je ne suis probablement pas assez vigoureux pour porter sur mon
dos toute la journée des sacs de grain. Mais dans
une auberge, on peut plus facilement se rendre
utile. On sert les clients par exemple. On tire le
vin au tonneau pour remplir les pichets ou les
bouteilles.

Elle discernait mal dans quelle mesure il plaisantait.

— Ce ne serait guère votre place » dit-elle.

— Oh ! nous vivons à une époque où il est sage de se préparer à tout et de ne pas faire les délicats.

Elle sortit. La question du changement de chambre n'avait pas été soulevée. Personne ne se présenta non plus pour coller du papier aux vitres.

Après qu'il fut revenu de la soupe du matin, il ne tarda pas à entendre des allées et venues dans la cour. Et aussi des voix. Mais jusqu'au milieu de l'après-midi le mouvement resta modéré, et dans les entrailles de la maison ne sembla point se former une rumeur copieuse comme l'avant-veille.

Ruchard mit son point d'honneur à ne jamais s'approcher de la fenêtre. « Je ne sais pas du tout » pensa-t-il, « si l'on épie mes gestes de quelque endroit. Mais ils pourront voir que je tiens parole. »

Il eut un peu de peine à égayer Piquereau, qui, bien reposé maintenant, et moins enclin que son maître à se réfugier dans la rêverie, commençait à trouver que la halte durait beaucoup.

— Pourtant l'endroit ne te déplaît pas ?

— Non. Mais il faudrait avoir quelque chose à faire. Nous n'avons pas le droit de mettre le nez dehors. Je n'ose même plus trop me promener dans les couloirs. Quand je rencontre quelqu'un,

j'ai toujours l'idée qu'il se demande à quelle tournée d'espionnage je suis occupé.

— Notre intérêt est de nous faire bien voir.
Alors sois patient, comme moi.

— Encore faudrait-il espérer quelque chose !

— Ecoute : suppose que des gens soient encore
à notre poursuite. Ce n'est pas probable ; mais
c'est possible. S'ils continuent à marcher de
l'avant, et s'ils ne trouvent rien, même pas une
trace, ils finiront pas se décourager. Ce sera comme lorsqu'un lièvre a réussi à se blottir dans un
sillon, et que la chasse l'à dépassé. Nos poursui-
vants rentreront chez eux. A ce moment-là, les
routes pour nous seront bien plus sûres.

— Oui, mais si l'on nous cherche, et si les gens,
à cette auberge du Chêne-vert, disent qu'ils nous
ont enseigné ce moulin, nos ennemis peuvent avoir
l'idée de venir nous y chercher.

— Ils l'auraient déjà fait. Et même dans ce cas,
il suffit que les gens d'ici déclarent : « Nous
n'avons rien vu. » Les autres n'iront pas se mettre
à fouiller la maison. Maître Cornaboux est un
brave homme. Ni lui ni les siens ne nous livre-
ront si de notre côté nous nous montrons bien
dociles.

Environ une heure avant la tombée du jour,
au moment où la rumeur des voix devenait très
nourrie, et après que dans la cour eurent claqué
bien des pieds de chevaux, Ruchard reçut une
autre visite de Cornaboux.

— Figurez-vous » dit le meunier, « que j'ai eu l'occasion de causer tout à l'heure avec un homme qui est au courant de votre histoire.

— Comment cela ? » fit Ruchard, brusquement saisi d'inquiétude.

— Oui... Il se présente ici, une fois ou l'autre, un peu toutes sortes de gens. Celui-là est un marchand que je n'avais pas vu depuis un bon trimestre. Vous me direz qu'il n'a rien à faire chez moi ; c'est vrai... mais... » Cornaboux parut chercher ses mots avec précaution, « il y a des personnes qui font volontiers un détour... parce qu'elles pensent rencontrer des amis... et l'on sait aussi que nous nous intéressons à tout ce qui se passe. » Il leva un bras. On apprend des choses si abominables. Le peu qui reste de braves gens se demandent chaque jour quelle calamité ne va pas leur tomber dessus. C'est pour cela qu'ils aiment à être renseignés, et à se sentir les coudes... Bref mon homme, sans venir de par chez vous, se trouvait avant-hier à Beaune, et il a entendu parler de votre affaire.

— Par des individus qui étaient à ma poursuite ?

— Non. Par d'autres marchands. Je ne sais pas au juste d'où ceux-là le tenaient.

— Et qu'est-ce qu'ils disaient de moi ?

— Eh bien ! que vous aviez été obligé de prendre la fuite — vous qui étiez maire de Beaujeu depuis plus d'une dizaine d'années, et bien estimé

du monde honnête — parce que vous ne vouliez
pas pactiser avec des brigands et des assassins. Et
ils citaient cela comme un exemple du malheur
des temps, et de ce qui nous menace tous.

Ruchard se sentit fort soulagé. Il lui sembla
d'ailleurs que le meunier le considérait avec une
sympathie toute nouvelle. Il demanda :

— Ces marchands n'ont pas dit si l'on me pour-
suivait, et de quel côté ?

— Je ne pense pas.

L'inquiétude reprit le fugitif :

— Et vous ? Qu'avez-vous dit à votre marchand ? Que justement j'étais sous votre toit ?

— Dieu non ! J'ai écouté cela comme une de
ces tristes histoires qui vous font lever les bras au
ciel. Et dès que j'ai pu, j'ai pris dans un coin
Toinon et Prosper, et je leur ai dit qu'ils auraient
affaire à moi s'ils bavardaient, et de bien avertir
les autres de la maison. D'ailleurs ils ne sont pas
si bêtes que cela. » Cornaboux ajouta avec un
sourire plein de sous-entendus : « Ils ont l'habitude
de tenir leur langue.

Il insinua un peu plus tard :

— Vous plaisantiez quand vous avez dit à Toinon que, si vous aviez l'occasion de faire un petit
travail, vous accepteriez ?

— Je ne plaisantais pas.

— Il est évident » continua le meunier avec
précaution, « que si vous deviez rester encore
plusieurs jours, vous vous ennuieriez moins en

vous occupant à quelque chose... oui, en vous mê-
lant un peu à nous. Sans même parler du fait que
ce serait une façon pour vous de payer le vivre et
le couvert.

— Oui. Quoique, pour ce qui est de ma dépense, mon intention est bien de la régler, comme vous le savez.

— Oui. Mais il vaut mieux que vous gardiez
votre argent le plus possible... Oh ! nous ne sommes pas des loups. Si vous étiez gêné de ce côté-là,
cela s'arrangerait toujours. Non. Je pense plutôt
qu'il doit être pénible de rester à se morfondre
dans cette chambre, du matin au soir. » Cornaboux parut perplexe. « Il y a aussi votre valet.

— Oui. Et j'ai idée qu'il supporte la solitude
et l'inaction encore plus mal que moi.

Cornaboux se palpait le menton.

— Croyez-vous qu'il accepterait de nous aider à
brouetter les sacs de grain ?

— Lui ? Sûrement. Il en serait même ravi. Peut-
être au début se fatiguera-t-il plus vite qu'un
autre. Mais il est solide.

— Bon... Quant à vous, si j'osais...

— Eh bien ?

— Je ne vois guère d'autre façon de vous employer.

— Dites.

Cornaboux semblait tourner autour d'une explication difficile.

— Je veux parler de la... de la grande salle. »

Une fois ces deux mots prononcés, il regarda le
visage de Ruchard, comme s'il allait y saisir quelque mouvement très significatif. Mais le voyageur
ne laissa rien voir. « Oui... il nous vient du
monde, pas mal de monde, trois fois par semaine.
Nous sommes un peu à court pour le service. Et
le lendemain de ces jours-là il reste tout de même
du travail en surplus : des verres et des pichets
à ranger ; des récipients à vider ou à remplir...
Je sais bien que c'est au-dessous de vous...

— Oh ! il n'y a plus guère grand'chose qui soit
au-dessous de moi.

La mine de Cornaboux parut s'éclairer. Il reprit
avec plus d'entrain :

— Ce serait seulement une question de quelques jours. Vous vous ennuieriez moins, votre
valet comme vous, il me semble... Ensuite nous
verrons... nous verrons... Et à mon avis, vous serez
encore plus à l'abri qu'en vous cachant tout à
fait, comme maintenant. Supposons en effet qu'il
arrive à se savoir que deux voyageurs logent dans
le moulin, sans jamais se montrer... Alors tout de
suite on a des soupçons. Les imaginations travail-
lent. Mais qu'on voie quelqu'un de plus aider au
service de... la grande salle... et quelqu'un d'autre donner la main à Prosper et à moi pour le
grain et la farine... la première explication venue
met l'esprit des gens en repos.

— L'idée me paraît excellente. Maintenant, il
faudra que vous ayez des vêtements de travail à

nous prêter. Dans ce costume, si modeste qu'il soit, je n'ai pas trop l'air d'un garçon d'auberge.

— On vous trouvera cela. Notez que... » la voix de Cornaboux devint très sérieuse, « je vous donne là, à vous deux, une preuve de confiance extra-ordinaire... Vous surtout, vous serez amené à entendre toutes sortes de choses...

— Je vous promets de ne pas écouter.

— On écoute malgré soi. Ce n'est pas, remarquez, qu'il se dise quoi que ce soit de criminel. Si nous ne vivions pas dans un temps pareil, ce qui se dit chez moi devrait pouvoir se crier sur la place publique. Mais vous savez quelles précautions on est obligé de prendre !

— Même si j'entends malgré moi, je vous jure de ne rien répéter à personne.

— Votre valet non plus n'est pas un bavard ?

— Non. Il s'en donne l'air quelquefois. Mais c'est quand il bavarde le plus qu'il en dit le moins. Autrement me serais-je fié à lui quand je prépa-rais secrètement ma fuite ? Et depuis, n'aurait-il pas eu vingt occasions de nous trahir ?

— C'est vrai.

Quand il se retrouva seul, Ruchard s'étendit de nouveau sur son lit, mais cette fois avec une sorte d'allégresse avide. Les heures de quiétude somno-lente et de rêverie bien close allaient finir. La sagesse était d'en savourer les dernières. Pourtant, quelles que dussent être les nouvelles journées, cette chambre serait encore là pour vous accueillir le soir, meurtri peut-être d'une fatigue inhabituelle. Il regardait la petite fenêtre, les boiseries luisantes, l'arrondi de la cloison, par lui-même si plaisant à l'esprit. Il entendait la vibration des lointains engrenages, le claquement dans la cour de pieds de chevaux, et dans les entrailles de la maison la rumeur des voix, déjà plus faible. « Je vais enfin savoir » se dit-il, « ce qu'est au juste cette rumeur. Je vais peut-être circuler dans son milieu. Ce qu'ils appellent « la grande salle », c'est là même, ou tout près de là, qu'il pense m'employer sans doute. Et dès maintenant le mystère diminue. Quand j'entendrai cette rumeur s'éveiller dans la carcasse de la maison, je saurai quel nom lui donner. Je dirai : « La grande salle ».

VII

Il commença le lendemain matin le **service** qu'on lui avait proposé. On le conduisit d'abord, par l'escalier et le long couloir du rez-de-chaussée, à une pièce oblongue qui était contiguë à la cuisine. Sur le sol et sur des planches se présentaient toutes sortes de récipients : des tonnelets de bois ou de terre cuite, des bouteilles de verre ou de métal, des pots d'étain, des gobelets, des verres. On lui dit que les principales provisions de vin ou d'eau-de-vie se trouvaient à la cave ; et qu'il fallait y descendre de temps en temps pour renouveler celles qu'on gardait à portée. L'escalier qui menait à la cave était de pierre et fermé par une trappe. Le long des marches régnait une bordure de pierre creusée ; et dans le creux l'on pouvait faire glisser, en le tenant au besoin par une corde, un petit fût ou un tonnelet. Une porte ouvrait sur la cuisine. Un escalier tournant, qui était de bois, montait à la grande salle. Cette grande salle semblait occuper toute une partie du premier étage. Elle devait avoir d'autres accès.

Il comprit que pour le moment il aurait peu affaire du côté de la grande salle. On l'occuperait surtout dans la pièce oblongue du rez-de-chaussée, à mesurer les boissons commandées par les visiteurs, à remplir les récipients. Il aiderait aussi à monter les tonnelets de la cave. Peut-être aurait-il parfois à grimper l'escalier de bois pour porter un pot jusqu'à l'étage. Mais Toinon l'attendrait en haut des marches et le lui prendrait des mains. On lui avait prêté une vieille veste de cuir et une culotte de velours, qui lui donnaient suffisamment l'apparence d'un serviteur.

Au cours de cette première journée, qui était une de celles où la grande salle chômait, Ruchard ne s'employa guère qu'à des rangements et des préparatifs. Ce n'est que le lendemain qu'il fit connaissance avec l'animation particulière de l'endroit. Il constata qu'avant midi les visiteurs de la grande salle étaient rares, et ne faisaient guère que passer. Il les entendait descendre de cheval ou de mulet dans la cour, ou sur le terre-plein. Des voix résonnaient ; puis des pas sur des marches d'escalier, à travers l'épaisseur de la maison. Il était parfois possible de reconnaître, au départ, des voix, ou même des pas, qu'on avait distingués à l'arrivée. L'après-midi, surtout dans la seconde moitié, les visites devenaient plus nombreuses et duraient davantage. Mais ce jour-là Ruchard n'eut pas l'occasion de pénétrer dans la grande salle. Il monta plusieurs fois porter un pot qu'avait réclamé Toinon. Chaque fois Toinon l'attendait sur le palier. Tout ce qu'il put saisir à la dérobée, par l'entre-bâillement de la porte, fut une forte bouffée de voix, de la fumée de pipes, et une échappée sur une assistance qui ressemblait à celle d'un cabaret, bien que d'aspect moins populaire. Il évita d'ailleurs de laisser paraître la moindre curiosité.

Ce ne fut que trois jours plus tard qu'il en découvrit davantage. Peut-être les gens de la maison l'avaient-ils observé, mis à l'épreuve, et s'étaient-ils persuadés que tout ce qu'il demandait, c'était la sécurité et le gîte. On l'envoya porter des pots dans la salle même, et à plusieurs reprises. C'était une vaste pièce, au plafond bas, à grosses solives, de forme irrégulière. Deux fenêtres l'éclairaient sur le côté, une autre à l'un des bouts. Quand le jour tombait, on allumait de grosses lampes pendues au plafond. Il y avait un certain nombre de tables — sept ou huit — d'une lourdeur rustique, entourées d'escabeaux, de bancs, et surtout de sièges de paille à dossiers, dont quelques-uns même étaient des chaises à bras.

A chacune des apparitions de Ruchard, l'assistance différait plus ou moins, en nombre ou en composition. Elle ne dépassa jamais les deux douzaines. Les gens buvaient modérément, et causaient, sans faire de grands éclats de voix. Certains, pour accompagner la boisson, mangeaient

un morceau. Au cours de la même après-midi,
Ruchard n'aperçut parmi les visiteurs que deux
femmes, l'une et l'autre en tenue de cheval.

Ils se connaissaient entre eux, visiblement. Toinon, et Cornaboux — lequel se rencontra là deux
fois en même temps que Ruchard — les traitaient
comme des habitués, et des amis.

Il était difficile de dire au juste à quelle condition ces gens ressortissaient. Aucun n'était un simple paysan. Aucun non plus n'avait les façons d'un
grand seigneur. La plupart étaient venus à cheval,
comme le confirma ensuite Piquereau, qui avait
eu l'occasion de voir les bêtes à l'écurie. Ils
avaient donc le costume du cavalier, mais de celui
qui cherche la commodité, non le brillant de la
tenue. Ce qui au reste était de nature à tromper
sur la qualité des personnes : pour se rendre, à
travers bois et broussaille, et au risque de la pluie,
jusqu'à ce moulin écarté, l'on pouvait fort bien
s'être habillé plus grossièrement que d'habitude.
Quelques-uns seulement portaient une arme, d'une
manière ostensible. Mais d'autres pouvaient en
dissimuler une, ou avoir laissé une paire de pistolets dans les fontes de leur selle.

Le plus vraisemblable était que se formait là
— pour des raisons encore difficiles à débrouiller
— un mélange de propriétaires campagnards,
petits et moyens, de modestes gentilshommes,
même de bourgeois appartenant à quelques bourgs
et bourgades du voisinage. Ce qui semblait assuré,

c'est qu'on n'avait affaire ni à des gens de guerre professionnels, ni à des voleurs de grand chemin.

Quant aux propos, Ruchard n'en recueillit le premier jour que des fragments. Chacun de ses passages durait peu. Il ne voulait pas non plus se donner l'apparence d'écouter. Enfin la nouveauté de son service et le désir de bien faire lui occupaient l'esprit.

Il observa que beaucoup de conversations se poursuivaient à mi-voix, par une sorte de précaution générale ou d'habitude, car ses entrées à lui n'y changeaient rien. D'ailleurs sa présence ne paraissait produire aucune gêne, soit qu'il eût réussi à la rendre tout à fait insignifiante, ce qui était malgré tout peu probable, soit plutôt que Maître Cornaboux l'eût annoncée en termes rassurants.

Ce qu'il eut le temps de remarquer aussi, c'est que les conversations semblaient souvent s'accrocher à des mots convenus, à des allusions, à des plaisanteries qui devaient avoir une clef. Parfois, à un propos presque chuchoté, que les gens s'étaient passé de l'un à l'autre, en penchant le corps, succédait un éclat de rire très bruyant qui réunissait deux ou trois tables.

Le soir, le maire fugitif retrouva son valet dans la petite pièce du rez-de-chaussée, où Toinon vint, comme les autres jours, leur servir une écuelle de soupe, du vin et du fromage. (Le reste de la maisonnée soupait dans la cuisine ; mais ils n'étaient pas encore priés de s'y joindre, que ce fût par un reste de prudence, ou pour ne pas leur imposer ce surcroît de familiarité.)

Ruchard interrogea Piquereau :

— Qu'as-tu observé de ton côté ? Quelle est maintenant ton idée sur cette maison et les gens qui la fréquentent ?

— Vous voulez dire : qui la fréquentent un jour comme celui-ci ? Les autres jours de la semaine, je me figure que c'est plus ou moins de la clientèle ordinaire de meunier.

— Plus ou moins. Car j'ai bien le sentiment que même les autres jours il y a des visites qui n'ont rien à voir avec le blé et la farine.

— Oui... Je n'ai pas été dans la grande salle comme monsieur, ni aux abords. Je suis donc moins bien placé pour juger. Ce que je puis dire, c'est que certains viennent de loin. Vous en auriez qui auraient fait des quatre à cinq lieues pour se rendre ici, et qui en auraient autant à faire pour le retour, avec les embarras de la nuit en plus — il est vrai qu'il commence à faire clair de lune — que cela ne m'étonnerait pas. » Il avait eu un ton de gravité compétente pour formuler son hypothèse. « Ce que je puis dire encore, c'est que beaucoup prennent des précautions. Tenez. J'en ai vu qui se connaissaient fort bien, qui se disaient adieu à l'écurie, et puis qui faisaient exprès de ne pas partir en même temps — oui,

ils attendaient au besoin plusieurs minutes —
comme s'ils avaient craint d'être vus ensemble.

— Ce qui, d'un autre côté, peut être une imprudence par le temps qui court ; un homme seul
risque bien davantage d'être attaqué.

— Peut-être veulent-ils seulement ne pas être
vus ensemble au sortir du moulin. Peut-être plus
loin se retrouvent-ils ? Ou restent-ils à portée de
voix ?

Rentré dans sa chambre, Ruchard s'étendit
bientôt sur son lit ; mais avant de céder au sommeil, qu'appelaient les fatigues de la journée, il
rêva quelques moments en regardant du coin de
l'œil l'arrondi de la cloison. Sur les visiteurs de
la grande salle, il se plut à faire des suppositions,
teintées de fantaisie, qu'il abandonnait vite l'une
pour l'autre. Au fond, que telle ou telle fût la
vraie ne lui semblait pas très important ; comme
si une période de sa vie venait de finir où les événements avaient eu tout leur poids, où lui-même
s'en était senti responsable. Maintenant rien
n'avait grande conséquence. L'avenir se déciderait
seul, ou à peu près, pour des raisons impossibles
à scruter. L'odeur de grain et de farine, d'une
douceur domestique, vous aidait à la résignation.

*
*   *

Au cours de la semaine suivante, le sens, ou
du moins l'esprit des propos qui s'échangeaient

dans la grande salle, les jours d'affluence, finit
par se laisser entrevoir.

Tout en vaquant à son service, et sans rien faire
pour s'attarder auprès des tables, où la plupart
des visages commençaient à lui devenir familiers,
Ruchard entendit qu'il était souvent question
d' « actions horribles », d' « excès abominables »,
d' « atrocités à faire douter qu'il y ait un Dieu ».
Et les allusions semblaient se rapporter non à
quelque pays lointain, mais à des parages tout
proches, et à des incidents dont celui qui parlait
venait d'être plus d'une fois le témoin direct. L'on
citait, ou l'on décrivait en peu de mots, une pen-
daison, un massacre, qui achevait tout juste de
s'accomplir. La mention de tels faits, en eux-
mêmes, n'avait certes pas de quoi étonner Ruchard. Ne vivait-il pas depuis des années dans
l'environnement d'abominations très semblables ?
Ce qui était plus nouveau, c'était la façon dont
les gens de la grande salle prenaient les choses ;
et non pas quelques-uns, mais apparemment tous.
Parfois, un détail, donné à voix basse, et que l'on
se communiquait d'une table à l'autre, provoquait
un silence, puis des paroles d'indignation, de
furieux haussements d'épaules, un coup de poing
violent sur le bois, et les verres et poteries trem-
blaient.

Certains des auditeurs paraissaient avoir dépassé
la période de l'indignation. Ils accueillaient tout
par le dégoût et le ricanement. On croyait les

entendre dire : « A quoi d'autre vous attendez-vous ? » Là-dessus ils vidaient leur verre, comme si boire un coup eût été le dernier geste raisonnable.

A d'autres moments flottait dans la conversation, ou rebondissait d'une table à l'autre, quelqu'une de ces locutions trop fameuses, qu'on entendait alors répéter chaque jour, et qu'enveloppait une lueur terrifiante, car c'était sous leur enseigne et par leur vertu que les hommes se battaient, que les bûchers s'allumaient, que les gibets recevaient leurs trousses de cadavres. « Prédestination », « Grâce suffisante », « Transsubstantiation », « Présence réelle »... Mais ici, il en était fait un usage bien différent : on semblait les traiter comme les marottes d'un cortège de fous, ou les balles d'un jeu dérisoire. On se les renvoyait à la tête, en les barbouillant de plaisanterie, de sarcasme. On en faisait une matière à facéties verbales ; et les rires d'exultation qui éclataient parfois montraient qu'une pointe heureuse avait touché et libéré d'un coup toute une réserve d'allusions clandestines, toute une charge, amassée longuement, de comique pour initiés. Quelquefois non plus il n'était pas douteux, à la brusque énormité des rires, qu'une de ces chimères sanglantes venait d'accoucher d'une obscénité grosse comme elle, par la bienfaisante magie d'une contrepetterie ou d'un calembour. Car si l'un des

accents principaux de l'auditoire était l'indignation, un autre était la bonne humeur.

Un soir que Ruchard et Piquereau prenaient
comme d'habitude leur souper dans la petite pièce
du rez-de-chaussée, Maître Cornaboux ouvrit la
porte :

— L'ami Piquereau » déclara-t-il d'un ton
cordial, « quand tu auras fini, tu feras bien d'aller
jusqu'à la cuisine. Prosper a quelque chose à
t'expliquer pour les sacs qu'on nous apporte demain matin.

Ruchard comprit à la mine du meunier que ce
n'était là qu'un prétexte pour écarter le valet.
Piquereau s'en avisa également, et, après un
échange de clins d'œil avec son maître, ne tarda
pas à quitter la salle.

— Vous ne languissez pas trop ? » commença
Cornaboux en s'asseyant.

— Mais non.

— Et vous ne savez toujours pas quand vous
pensez vous remettre en route ?

— Ma foi non ! » dit gaîment Ruchard. « A
moins que nous ne soyons un embarras ?

Le meunier ne répondit pas sur ce point.

— Ce service de la grande salle » reprit-il,
« n'est pas trop pénible ?

— Je m'y suis facilement habitué. Les gens de
la maison me traitent bien. Les visiteurs sont des
personnes de bonne compagnie.

— Ce qu'il vous arrive d'entendre ne vous écorche pas trop les oreilles ?

— Je vous l'ai dit : j'écoute le moins possible. Mais ce que j'entends malgré moi est loin de me déplaire.

— Vraiment ? Vous ne vous dites pas qu'il se tient ici trois fois la semaine une foire d'impiétés et de blasphèmes ?

— Il arrive, au contraire, que je me retienne de rire, ou de placer mon mot.

Cornaboux leva la main :

— Retenez-vous, en effet ! L'on m'a déjà suffisamment questionné sur vous.

— Qu'avez-vous répondu ?

— Que vous étiez un parent éloigné de ma défunte femme... d'une condition assez relevée, d'ailleurs, comme le montraient bien vos manières ; mais que vous aviez eu des ennuis dans votre pays, pour n'avoir point voulu hurler avec les loups. Pour les gens de la grande salle, voyez-vous, il n'y a pas de recommandation meilleure.

— Ils savent donc que je me cache ?

— Pas exactement. Ils se disent au moins que vous n'êtes ni un ennemi, ni un espion.

Ruchard faillit demander qui étaient au juste les habitués de la grande salle, d'où ils venaient, pourquoi ils se retrouvaient ainsi. Il en avait bien une première idée, qu'il avait retournée plus d'une fois avec Piquereau dans leur conversation du soir. Il eût aimé se la faire confirmer ou redresser. Mais il fallait un biais pour poser la question ; et le biais ne s'offrit pas.

Cornaboux, quand il se leva et lui souhaita bonne nuit, fit spontanément cette remarque :

— Cette espèce de gens que vous voyez dans la grande salle... oui, eux, et leurs pareils... où qu'ils soient... c'est ce qui nous reste de meilleur par ce temps d'abominations. Au moins je le crois, moi qui vous parle. C'est parce qu'on en rencontre encore quelques-uns comme eux qu'il vaut encore la peine de vivre... Je sais bien, moi, que celui qui leur voudrait du mal serait un grand criminel ; une vipère à écraser.

VIII

Au début de la semaine suivante, Ruchard, tandis qu'il vaquait à son service, entendit parler d'une certaine approche de troupes. La nouvelle semblait à la fois plus sérieuse dans son fond et plus trouble dans ses détails que telles autres qui s'échangeaient entre les tables de la grande salle, ou qui rôdaient de l'écurie à la cuisine.

Il était difficile de retrouver quelle en était la source. Plusieurs des habitués de la grande salle semblaient l'avoir recueillie de ci de là, chacun pour son compte, et dans des versions mal concordantes. Ces troupes arrivaient de loin. Elles n'étaient pas à confondre avec les incursions banales de Ligueurs ou de Huguenots. Selon les uns, elles venaient de Suisse. Selon d'autres, du Palatinat. La plupart de ceux qui en parlaient usaient, par tradition, du terme d' « Impériaux », bien qu'il eût peu de chances d'être exact. « Une véritable armée d'Impériaux s'avance, en pillant ou brûlant tout » disaient-ils.

Où allaient ces troupes, dont on ne savait ni l'origine, ni le nombre ? Les avait-on appelées ? S'agissait-il d'un corps d'opérations proprement dit, qui marchait au secours de ses alliés de France, qui donc avait un but et un itinéraire plus ou moins fixés, peut-être un plan de campagne ? ou de bandes échappées à quelque désastre, conglomérées un peu au hasard, et errant à l'aventure ?

Le seul point qui ne semblait pas douteux était qu'on avait affaire à des Protestants. Calvinistes ? Luthériens ? La rumeur ne se prononçait pas. A ce nom d'Impériaux, que de confiance et pour plus de simplicité elle leur attribuait, elle ajoutait selon les cas, et sans intention précise, ceux de Huguenots, de Réformés, de Parpaillots, ou tout uniment de Protestants.

Ruchard, devenu très attentif, s'aperçut que, si d'autres bruits inquiétants s'évanouissaient aussi vite qu'ils étaient nés, celui-ci de jour en jour prenait de la consistance. Dès la seconde « grande salle » qui eut à faire état de la rumeur, l'avance des Huguenots d'Allemagne occupa le centre des commentaires. Ruchard s'avisa aussi qu'elle donnait lieu à toute une série d'allusions, qui n'étaient peut-être pas absolument nouvelles — car il lui semblait bien qu'il avait déjà entendu, sans y chercher mystère, des propos de la même tendance — mais qui maintenant prenaient trop d'insistance et de particularité pour ne pas vous faire travailler l'esprit.

C'était des phrases comme celle-ci : « Vous a-t-on dit si là-haut ils savent quelque chose ? » Ou bien : Ils (les Impériaux) n'auront pas tout seuls l'idée de monter là-haut. Mais avec les vilains oiseaux que nous avons ici et là... »

Il saisit d'autres allusions à une certaine « peste froide », faites d'un ton goguenard il est vrai. Quelqu'un disait par exemple : « Dommage en un sens que l'épidémie passe pour finie ! C'est un genre de réputation qui peut avoir son utilité. » Mais un autre répliquait : « N'oubliez pas que là-haut ils avaient gardé des malades plus longtemps qu'ailleurs. » Et un autre : « Ce ne serait pas la première fois qu'ils auraient à se servir d'un épouvantail à moineaux de cette fabrique ! »

Depuis le début de son séjour au moulin, il avait entendu parler, à deux ou trois reprises, d'une épidémie qui avait traversé le pays, quelque dix-huit mois plus tôt, et y avait semé l'effroi. Mais il ne se souvenait pas que le nom de peste, encore moins celui de peste froide, eût été prononcé ; et il lui avait semblé qu'on ne s'attardait pas volontiers sur le sujet.

Quant aux mots de « là-haut », il en avait certes été usé devant lui plus d'une fois. Mais chaque fois Ruchard avait cru comprendre qu'on désignait simplement telle ou telle des campagnes environnantes qui devaient dominer la vallée, celle entre autres que l'on atteignait par ce chemin grimpant à travers bois. Qu'il y eût de ce côté au moins un bout de plateau, avec des hameaux, peut-être des gentilhommières, Cornaboux dès les premiers jours l'avait laissé entendre, et c'était en soi naturel. De plus, bon nombre des gens qui fréquentaient le moulin, ou la grande salle, descendaient visiblement de par là. Tant Ruchard que Piquereau avaient pu s'en convaincre.

Ruchard se demandait maintenant si « là-haut » n'avait pas une signification plus particulière.

*
* *

Le soir, dans la petite pièce, entre deux entrées de la servante, ils tâchaient d'éclaircir ces divers points. Ruchard appréciait beaucoup les renseignements que Piquereau attrapait aux abords de l'écurie.

— Que sais-tu de nouveau sur les troupes ?

— Il paraît que ce sont bien des Impériaux, et qu'ils ont déjà saccagé plusieurs villes du côté de la Bresse.

— Mais dit-on qu'ils approchent ?

— Il est difficile de s'y reconnaître. Pour les uns, ils ne seraient plus qu'à deux ou trois journées de marche. Et il ne nous resterait plus que la chance qu'ils continuent à monter par l'une des deux grandes routes sans s'occuper de notre cul-de-sac de vallée. D'autres vous racontent que l'orage a déjà commencé à se détourner, et qu'ils descendent sur le pays de Lyon pour aller prêter la main aux protestants des Cévennes.

— Et cette peste froide ? Tu as d'autres détails ?

— Je ne me suis pas gêné pour interroger le nommé Firmin, vous savez, celui qui sert la trémie, et aussi Maître Cornaboux. Pourquoi pas ? Eh bien, il y a un peu plus d'un an, les gens s'étaient mis à mourir comme des mouches, surtout du côté de Baigneux. Ici même personne n'a été malade. Mais c'était venu tout près sur le plateau. On avait parlé d'une espèce de peste. D'autres avaient accusé les Juifs — vous savez qu'il en reste à Baigneux — d'avoir empoisonné les sources. En tout cas, ça m'a l'air d'être fini depuis longtemps.

— Mais pourquoi ce nom de peste froide ?

— Les gens, paraît-il, au lieu d'avoir de la fièvre, étaient comme glacés. Et plus ils étaient près de mourir, plus leur peau au toucher devenait froide. Oh ! je ne vous garantis rien.

— Maintenant, ce fameux « là-haut » ?

— Voici mon idée » fit Piquereau avec une certaine importance. « Aujourd'hui, justement, il nous est arrivé un train de quatre mulets, qui apportaient des sacs de grain, et qui venaient chercher des sacs de farine. Ils étaient menés par deux hommes. Je me suis très bien rappelé avoir déjà vu ces mulets, et ces bonshommes. Mais je les avais mal regardés. Cette fois-ci, je les ai bien

regardés ; d'abord parce qu'ils ne ressemblent pas
à tout le monde ; et surtout parce qu'ils ont parlé
de « là-haut », plusieurs fois, et de façon qu'il n'y
avait pas à s'y tromper. A condition, bien entendu,
d'être dans le secret.

— Et quel est le secret ?

— Attendez que je vous dise un mot sur l'habil-
lement de mes bonshommes.

— Il était donc si extraordinaire ?

— Non, non... Mais ils n'étaient faits ni comme des paysans, ni comme des valets de ferme.

— Quoi ! Comme des bourgeois ?

— Non plus... Je ne sais pas, moi. Vous auriez
plutôt dit des balayeurs d'église, ou des sonneurs
de cloches.

— Il y a donc des vêtements si particuliers que
cela ?

— Ce n'est pas tant le vêtement. Ce serait plutôt la mine... Tenez, s'il existait un couvent, dans
les environs, je m'imagine que les domestiques
du couvent auraient cette touche-là.

— Eh bien, il existe peut-être un couvent.

— Non. J'ai demandé, sans en avoir l'air.

— Aux bonshommes eux-mêmes ?

— Non ! A Firmin, et longtemps après, sans
qu'il puisse faire le rapprochement.

— Alors, ton idée ?

— Eh bien ! c'est qu'il existe un manoir, ou
même un vrai château, quelque part sur le plateau,
dans la direction d'où vient ce chemin qu'on voit

monter à travers bois. Et que, d'une façon ou de l'autre, le moulin en reste dépendant. C'est peut-être une ancienne tenure. Il y a peut-être des droits féodaux, des redevances. Enfin quand ils disent « là-haut », ils ne parlent pas d'un lieu quel-conque.

— Tu n'as pas osé t'informer ?

— J'ai bien essayé. Mais Cornaboux a fait la sourde oreille ; et Firmin n'a répondu que des choses incompréhensibles.

— Cela n'explique toujours pas la mine de tes bonshommes.

— Non. C'est-à-dire que le château pourrait ap-partenir à un évêque ? ou à un abbé ?

—Oui...

— J'ai même saisi le mot de Prieuré dans la conversation.

— Mais alors c'est clair.

— Non. Parce que je ne suis pas sûr que ce qu'ils appellent le Prieuré, ce soit là d'où ils viennent.

IX

Ruchard profita le lendemain d'un passage de Toinon pour essayer de la sonder. Il commença par le plus facile, qui était la question des troupes. Toinon ne savait rien de plus qu'eux-mêmes. Mais elle était portée à croire qu'une vallée si petite et si peu connue ne risquait guère d'attirer des bandes venues de si loin.

— Sans doute. Mais » lui fit observer Ruchard, « j'imagine les gens de cette auberge du Chêne-Vert parlant à des soudards, ou à leurs chefs, comme ils nous ont parlé à nous. Cela suffirait.

— Oh ! je sais » dit la servante, d'un ton soudain très soucieux. « Maître Cornaboux s'en tourmente bien aussi. Que peuvent-ils avoir contre nous, ces gens du Chêne-Vert ? Est-ce seulement de la bêtise ?

Pour la peste froide, elle confirma les renseignements que Piquereau avait recueillis. Elle ajouta ce détail singulier, que certains pestiférés, au lieu de mourir ou de guérir, avaient traîné leur mal, et qu'il s'en cachait encore quelques-uns dans des endroits à l'écart.

L'idée vint à l'esprit de Ruchard que « là-haut » était justement un de ces endroits, et que cela expliquerait et le mystère qu'on faisait autour, et certaines allusions. Mais il ne s'enquit pas directement.

Il affecta un sourire de malice :

— Qui sait ? Vous avez peut-être parfois à moudre du blé qui vient de chez eux ? Espérons que le mal ne voyage pas avec le grain.

La servante ne parut pas saisir à quoi tendait cette pointe.

* * *

Le soir d'après, Cornaboux vint leur faire visite. Il ne chercha pas à écarter Piquereau. Il s'assit à la table ; se laissa offrir un verre de vin.

— Vous avez entendu la nouvelle de ces troupes d'Impériaux qui approchent » dit-il. « Jusqu'ici, je ne m'en inquiétais qu'à moitié. Mais l'on m'apprend à l'instant que la nuit dernière ils ont cantonné à moins de huit lieues d'ici.

— Sur la route qui vient de Lyon ?

— Oui.

— Donc ils ne doivent pas être bien loin de notre auberge du Chêne-Vert ?

— Non... Et il est probable qu'ils passent par

là... ou qu'ils y ont déjà passé à l'heure qu'il est ; car ils s'informaient, paraît-il, de la façon d'atteindre la haute vallée de la Seine.

— Il n'est pas sûr qu'ils aient interrogé les gens de l'auberge ; ni que les gens de l'auberge aient donné à toute une armée le même conseil qu'à deux voyageurs.

— Non, évidemment. Mais nous avons lieu de craindre. D'autant plus qu'à ce qu'on m'a dit aussi ces bandits d'Impériaux ne se contentent pas de suivre tout bêtement les grandes routes. Je ne sais sur qui ils ont projet de tomber ; et ils ne peuvent pas espérer le faire entièrement par surprise. Mais pour une raison ou une autre, entre deux chemins, ce n'est pas le plus fréquenté qu'ils choisissent.

— En somme, ils pourraient se présenter bientôt ?

— Oui » fit Cornaboux et il les regarda. « J'avais déjà avisé nos amis de ne pas arriver la prochaine fois sans précautions. Nous avons un très haut sapin près de l'écluse, avec des branches en échelons, bien régulières. Il est facile d'y monter. La cime se voit d'assez loin. J'ai dit à nos amis qu'en cas d'arrivée des Impériaux, nous y accrocherions un chiffon blanc.

— C'est une bonne idée.

— Même nous ferions bien, je crois, de déménager la grande salle. Qu'elle n'ait pas l'air de servir à des réunions. Nous pouvons poser à terre des rangées de sacs ; ou des boisseaux vides ; fourrer les tables au grenier.

— Nous vous aiderons.

— Oui... mais je me demande si vous n'allez pas être en péril.

— Nous spécialement ? Pourquoi ?

— Il se peut qu'ils questionnent ; ou que des gens aient bavardé.

— Et quand bien même ! Qu'importe à ces huguenots d'Allemagne le maire d'une petite ville dont ils ne connaissent même pas le nom ?

— C'est bien ce que je me dis. Mais je n'aimerais pas penser qu'en vous réfugiant chez moi vous vous êtes jeté dans la gueule du loup.

— Ce ne serait pas votre faute !

— Je sais. Tout de même...

Le sentiment de Cornaboux semblait sincère. Mais à quoi voulait-il en venir ?

— De toute façon » reprit-il en baissant la voix, « je vous en aurais parlé un jour ou l'autre. J'y ai bien réfléchi. C'est évidemment ce qu'il vous faudrait... J'ai même fait poser la question « là-haut »... pour le principe. » En prononçant le mot de « là-haut », il hocha la tête d'un air significatif, ce que Ruchard crut bon d'imiter. « Naturellement » continua Cornaboux, « ils ne peuvent rien me promettre tant qu'ils ne vous ont pas vus. Mais ils ne vous refuseront pas l'hospitalité au moins pour quelque temps. Et ensuite, avec un peu de chance, les Impériaux pourraient être loin.

Ruchard eut le sentiment que le meunier le croyait mieux au fait qu'il n'était. Mais il ne sut pas s'il était bien habile d'avouer son ignorance et de poser des questions. Peut-être valait-il mieux laisser la chose s'éclairer d'elle-même.

— Vous m'avez dit que vous aviez un peu d'argent ? » continua Cornaboux. « Oh ! ce n'est pas que là-haut ils tiennent tellement à l'argent qu'on peut avoir. Non. Ils sont déjà bien assez riches. Mais un homme comme vous n'est pas habitué à vivre aux crochets d'autrui... » Puis, après un temps de réflexion : « Je suis en train de raisonner comme si ces bandes d'Allemagne ne devaient pas avoir l'idée de passer par là-haut. Bien entendu, nous ferons tout ce qu'il faut pour que cela n'arrive pas. Mais nous pouvons être à la merci d'une langue indiscrète ; ou d'un propos mal intentionné.

Il se leva :

— Nous serons bientôt fixés. J'ai voulu vous prévenir, pour que vous vous teniez prêts à partir à la première alerte.

X

Ruchard était à peine réveillé, le matin suivant, quand Toinon vint lui dire :

— Maître Cornaboux aime mieux que vous ne descendiez pas pour le moment. Il vous apportera lui-même des nouvelles. En attendant, voici un peu de soupe. A votre valet aussi j'ai dit de ne pas bouger.

— Les Impériaux sont en vue ?

— Il paraît qu'il y a du mouvement à l'entrée de la vallée.

Ruchard patienta donc, tantôt allongé sur son lit, tantôt debout derrière sa petite fenêtre, et regardant. Il se laissa envelopper une fois de plus par les bruits et odeurs de ce moulin, à quoi les événements laissaient encore quelque répit. Il regarda le soleil du matin descendre peu à peu le long des feuillages en haut du bois.

Environ un heure et demie plus tard, il vit entrer Cornaboux.

— Il faut que je m'apprête ? » lui demanda-t-il.

— Pas encore. » Cornaboux montrait de l'embarras. Il alla s'asseoir sur le bord du lit. « Est-ce que vous avez entendu parler de la Jeanne d'Arc des Cévennes ?

— La Jeanne d'Arc des Cévennes ? » répondit l'autre qui restait debout. « Cela me rappelle quelque chose. N'était-ce pas une espèce de prophétesse, ou de furieuse, qui avait rassemblé une bande de paysans armés, dans les montagnes, à l'occident du Rhône, et qui les menait au pillage des couvents et des églises ?

— La renommée en avait peut-être atteint jusque par chez vous. Ici, il n'en a jamais été fait mention.

— Je suppose d'ailleurs que cette fille a été prise et pendue depuis longtemps.

— Il est probable que non. Car elle est en bas.

— Que me racontez-vous ?

— Elle vient de nous arriver à cheval, à peu près vêtue en homme, et toute seule.

— Mais comment savez-vous que c'est elle ?

— Parce qu'elle me l'a dit.

— Elle vous a déclaré, en descendant de cheval : « Je suis la Jeanne d'Arc des Cévennes » ?

— Non, non. Il nous a fallu l'interroger pendant plus d'une heure.

— Comment d'abord s'est-elle présentée ? » dit Ruchard en s'asseyant en face du meunier sur un escabeau.

— Un peu comme vous. Comme une fugitive.
Au début, elle répétait : « Je suis en route depuis
plusieurs jours pour échapper à mes ennemis.
J'ai besoin d'un peu de repos et de nourriture. Si
vous êtes chrétiens, cela doit vous suffire. » A
force d'insister, j'ai fini par comprendre qu'elle
était parpaillote ; mais qu'elle s'était brouillée
avec ses coreligionnaires, et que c'était eux qui
s'étaient mis à la poursuivre pour la tuer.

— Y a-t-il quelque rapport entre cela et l'arrivée des Impériaux ?

— C'est ce qui m'est venu tout de suite à l'esprit. Je me suis dit : « Méfions-nous. C'est peut-
être une espionne que les bandits d'Allemagne
font marcher en avant, et qui leur rapporte des
renseignements sur ceci et cela. » Mais non. Elle
n'a pas caché qu'elle les savait tout près. Elle a
failli tomber dans leurs pattes hier soir. Elle croit
elle aussi, d'après ce qu'elle a entendu dire,
qu'une partie au moins de la troupe pourrait
bien passer par ici. Mais elle jure qu'elle ne les
connaît pas plus que nous, et qu'elle a peur d'eux
autant que nous. C'est même parce que je la
pressais de questions, et que je lui montrais bien
mon peu de confiance qu'elle a fini par nous dire :
« Eh bien ! vous allez tout savoir. » C'est alors
qu'elle nous a raconté qu'on l'avait appelée la
Jeanne d'Arc des Cévennes ; et pourquoi elle
était en fuite.

— Pourquoi, en effet ?

— Encore une fois, c'est un peu votre cas. Elle s'est dégoûtée, elle aussi, de hurler avec les loups. Elle a réfléchi que pour ces gens-là, ou la plupart, la cause de Dieu n'était qu'un prétexte. Mais vous allez en juger par vous-même.

— Vous voulez...

— Le plus simple était de lui dire : « Passez votre chemin ! » Mais elle est si gentille, si jeune.

— Si jeune ?

— Je parierais qu'elle n'a pas beaucoup plus de vingt ans.

— Ce n'est pas possible ! Il me semble que cette histoire d'une Jeanne d'Arc des Cévennes remonte à des années.

— Oh ! il se passe tellement de choses depuis quelque temps. Dans le souvenir les années paraissent le double ou le triple. Enfin, venez !

— Où cela ?

— Dans votre petite pièce d'en bas.

— Alors... vous voulez que je l'interroge ?

— Oui, que vous vous rendiez compte. Deux avis valent mieux qu'un. Et puis vous avez la pratique de certaines choses. Si, après, vous me dites : « Ce n'est pas une méchante fille, au fond, ni une menteuse », je verrai ce qu'on peut faire pour elle. Vous comprenez, jeter une pauvre fille comme cela sur les chemins, au moment où s'annoncent des flots de bandits, cela gêne la conscience.

*
* *

Elle était de taille moyenne ; même un peu courte, le cou ramassé, les membres forts et drus. Elle avait un visage d'enfant, avec un regard bleu qui tout de suite devenait mieux qu'un trait essentiel : une présence principale, une force dont on recevait le poids et le heurt, une explication qui devançait toutes les autres. Le plus étrange est qu'il ne semblait y avoir dans ce regard ni dureté, ni même domination. C'était plutôt comme le pouvoir d'une évidence. Il était évident que ces yeux-là voyaient la vérité mieux que les autres ; et aussi que leur éclat était dû à une charge incomparable de vérités intérieures. La première réaction de Ruchard, qui ne dura il est vrai qu'un instant, fut l'envie de dire : « Mais... il n'y a pas de question. Mademoiselle a certainement raison. Notre seule affaire est de l'écouter, de la comprendre, de la suivre. »

Pour lutter contre cette sorte d'enchantement, il se contraignit à porter son attention sur le costume de la jeune fille, qui était mi-cavalier, mi-paysan, avec une veste de cuir, une culotte de drap et de longues guêtres. Tout cela très poudreux. Puis, en continuant à éviter autant qu'il pouvait le regard, il observa que la chevelure était

châtain, sous un bonnet de feutre, le front bombé,
la peau des joues allant du hâlé au rose vif. Mais
soudain l'on glissait dans le regard, et l'envie vous
revenait de crier : « Que voyez-vous ? Quels sont
les ordres ? »

Il réussit à déclarer d'un ton calme, après s'être
tourné vers le meunier pour le prendre à témoin :

— Maître Cornaboux m'a dit un mot de votre
histoire. Il a pensé que j'étais spécialement bien
placé pour y prendre intérêt. Car je suis, de mon
côté, un fugitif.

Sans paraître s'apercevoir de l'avertissement
inquiet que lui donnait la mimique de Cornaboux,
il résuma son aventure en quelques mots.

La jeune fille, qui s'était assise, un coude sur la
table, et une tempe appuyée contre un doigt,
laissa venir sur cet autre fugitif un regard où se
mêlaient l'étonnement, la sympathie, la distraction.

— Moi » finit-elle par dire assez lentement, et
d'une voix dont l'accent très chantant et la chaleur un peu lourde procuraient une sécurité délicieuse, « c'est du côté des huguenots que j'ai fait
la guerre. J'ai pris part à quelques combats. J'ai
surtout parcouru à cheval les hauts plateaux pour
soulever les paysans. J'ai souvent monté la garde,
avec la troupe que je commandais, pour protéger
les assemblées.

— J'avais entendu prononcer votre surnom,

mademoiselle. Mais il me semblait qu'il y avait
déjà longtemps. Et vous êtes si jeune.

— Il ne peut y avoir bien longtemps ; puisque
voici trois ans le mois prochain que j'ai com-
mandé une troupe pour la première fois. » Elle
haussa les épaules. « Quant à mon surnom, il me
fut donné par dérision d'abord, du côté des catholiques. Je m'appelle Jeanne de Meyrueis, ce qui
rendait la plaisanterie plus facile. Ensuite les
nôtres l'ont répété pour me faire honneur.
J'avais une espèce de gloire. Je chevauchais avec
mes pistolets et ma bible. Je les ai encore. De la
Louvesc à Mende des milliers de partisans se
seraient fait tuer pour moi.

Elle avait dit ces derniers mots avec amertume.

— Mais maintenant » s'écria le meunier en
jouant la bonne humeur, « vous voilà toute seule,
perdue sur un petit chemin de Bourgogne ?

Elle se tourna vers Ruchard :

— Il y avait d'autres chefs près de moi ; des
hommes. Je me suis aperçue peu à peu qu'ils ne
se battaient pas pour les mêmes raisons que moi.

— Pour quelles raisons vous battiez-vous ? » fit
Ruchard avec un sourire de gentille indulgence.

Elle laissa de nouveau se poser sur lui une terrible et rayonnante douceur d'yeux bleus ; puis,
avec simplicité :

— Je voulais revenir à la pure religion d'autrefois. Je voulais être libre de prier Dieu à ma

façon, et de lui demander conseil à lui-même en lisant les Ecritures. Je ne savais pas si toutes les abominations qu'on racontait des moines, des évêques, et du pape étaient vraies. Mais il y avait sûrement assez de vrai pour qu'il fût temps de nettoyer toute cette écurie.

— Et ces raisons n'étaient pas celles de vos compagnons ?

Elle haussa de nouveau les épaules.

— Déjà je n'avais pas été longtemps à saisir qu'autour de moi, dans les assemblées, ou même dans les simples conversations que nous avions sur les chemins du plateau, ou assis devant la cheminée d'une ferme, il était trop parlé de choses qui n'étaient pas celles pour lesquelles, en vérité, je me battais.

— Quelles choses ?

— Par exemple la prédestination, la présence réelle...

Les deux hommes éclatèrent de rire, tant la rencontre leur parut plaisante, et bien que Ruchard pût se demander jusqu'à quel point il avait le droit de paraître initié aux secrets de la grande salle.

— Pourquoi riez-vous ? » dit-elle.

Ruchard attendit que Cornaboux trouvât une réponse. Mais Cornaboux se taisait.

— C'est que » fit Ruchard, « nous aussi, nous entendons souvent ces mots-là, et qu'ils nous semblent servir plus souvent à la condamnation du prochain qu'à la gloire de Dieu.

— Eh bien » continua-t-elle, « un jour, sur la lande, j'eus une espèce d'illumination. Je vis que ces hommes, qui s'étaient battus à côté de moi, ne l'avaient même pas fait à cause d'une certaine idée sur la prédestination ou la présence réelle.

— Oui ?... Et à cause de quoi donc ?

— Ils s'étaient battus parce qu'ils étaient durs, entiers, pleins d'eux-mêmes. Ils avaient soulevé les paysans pour avoir le plaisir de les commander. Ils avaient fait la guerre parce que c'était la guerre, et qu'ils l'aimaient. Christ le pacifique donnait de l'emploi à ces militaires. La croix de Christ servait à ces militaires d'enseigne et de massue. Ce qu'ils voulaient, ce n'était pas un monde où je pourrais prier Dieu à ma façon. C'était un monde où leur tour viendrait de persécuter, d'excommunier et de faire brûler au nom de Dieu. Ce jour-là, je les ai vomis.

Ruchard éprouvait avec une telle force l'éloquence de cette jeune fille que sur le moment il n'imagina pas comment un auditoire d'hommes simples y eût résisté ; et qu'il ne put s'empêcher de dire :

— Mais pourquoi n'avez-vous pas parlé ainsi à vos paysans ? Eux du moins auraient compris.

— Quelques-uns, peut-être. Je n'allais pas jeter

mes frères de religion les uns contre les autres.
Vous oubliez aussi qu'en prêchant la colère et la
haine, on se fait toujours mieux écouter... et que
je n'aurais pas été certaine d'avoir le dessus. Pourtant, à ceux qui commandaient avec moi, j'ai
voulu donner une chance de voir clair. Ce que je
viens de vous dire, je le leur ai dit.

— Comment l'ont-ils reçu ?

— Ils ont crié que tous les diables de l'église
romaine m'étaient entrés dans le corps. Je sentis
bientôt que même mes paysans se détachaient de
moi. Eux aussi avaient bu le vin de la violence.
L'idée de prier Dieu à leur façon ne suffisait plus
à les enflammer. Ils avaient envie de souffrir et de
faire souffrir. La Jeanne d'Arc des Cévennes devenait maintenant, comme l'autre, apostate, et
relapse. Ma vie était en péril. Plusieurs de mes
compagnons de lutte n'auraient pas hésité à rallu-
mer pour moi, avec les genêts de la montagne, le
bûcher de Michel Servet. Ou bien un fanatique se
fût sanctifié en m'immolant. Je leur ai épargné ce
crime.

Le bleu de son regard, le chant de sa voix, à
peine voilé par les murmures du moulin, formaient un tel sortilège, que l'on continuait à mal
concevoir qu'elle pût être une vaincue et une
fugitive. Ruchard dut se rappeler combien peu
les quelques dons de persuasion qu'il possédait
lui-même avaient compté, quand il avait dû faire

front aux passions d'un menu peuple que pourtant il connaissait bien.

— Vous ont-ils pourchassée ? » demanda Cornaboux.

— A peine en avaient-ils besoin. Je ne pouvais trouver abri ni dans les villages protestants où ma nouvelle réputation était parvenue, ni dans les villages catholiques, où mon ancienne réputation faisait de moi un démon femelle. Je fuyais traquée par l'une et par l'autre. J'ai couché plusieurs nuits en pleins bois.

— Maintenant, la distance vous protège.

— La haine va parfois si loin, et si vite... Qui me prouve que ces huguenots d'Allemagne n'aient pas entendu parler de moi ?

Elle avait mis dans ce propos un orgueil tout naïf.

— Vous les avez réellement vus ? » dit Ruchard.

— J'ai aperçu de loin de petits détachements, qui maraudaient à l'entrée d'un village. Je suis entrée dans une ferme d'où ils venaient eux-mêmes de sortir.

— Vous croyez qu'ils viennent de ce côté ?

— Les gens de la ferme m'ont dit que les soldats s'étaient renseignés sur un moulin au fond d'un vallon...

— Mais qui avait donné aux soldats l'idée de ce moulin ? » s'écria Cornaboux.

— Je ne sais.

— Vous-même, pourquoi êtes-vous passée par ici ?

— En quittant la ferme, justement, j'ai rencontré l'ouverture d'un vallon. Sur le moment je ne pensais plus à ce qu'on m'avait dit. Il y avait le long du ruisseau un petit chemin sous les feuilles, qui semblait si tranquille ! J'en avais assez des grandes routes, et des rencontres qu'on y peut faire. J'ai poussé mon cheval dans ce couvert. Quand j'ai aperçu votre moulin, je me suis rappelé...

— Pendant que vous longiez le ruisseau, il ne vous a pas semblé que par derrière une troupe venait ?

— Non. D'ailleurs ils avaient l'air de s'installer dans le dernier village avant le vallon. De toute façon, je ne pense pas que vous les voyiez d'ici à demain.

Après avoir dit :

— Attendez un instant, mademoiselle... » Cornaboux fit un signe à Ruchard et l'entraîna hors de la pièce.

— Eh bien ? » demanda-t-il à voix basse quand ils eurent fait quelques pas dans le couloir.

— Je suis persuadé qu'elle dit la vérité.

— Sur tous les points ?

— Oui... je n'aperçois pas où serait le mensonge.

— Que faisons-nous d'elle ?

— Lui avez-vous offert de la nourriture ?

— Oui, naturellement... Elle a bu et mangé.
Et je veux bien aussi qu'elle se repose. Mais c'est
pour la suite...

— Quelle est votre idée ?

— Quand elle aura pris son repos, je puis bien
lui indiquer une direction, à travers les bois... où
elle ne courrait pas de grands risques. Je puis
même la faire accompagner un bout de chemin.

— Oui...

— Vous ne semblez pas approuver ?

— Cela me fait un peu de peine, voilà tout, de
l'imaginer partant ainsi à l'abandon, tellement
seule. Ce n'est qu'une enfant.

— Qui ne paraît pas sans défense.

— Bien sûr. Mais tout de même...

— A quoi songeriez-vous d'autre ?

— Cette chose dont vous m'avez parlé, hier,
pour moi, en termes obscurs. J'ai bien senti qu'il
ne fallait pas vous interroger ; que vous me
demandiez d'avoir confiance en vous. J'ai compris
qu'il s'agissait d'un endroit où je trouverais à
m'abriter. Mais, à l'instant même, je me deman-
dais : « Ce qui est possible pour moi ne le serait-
il pas pour cette jeune fille ? » Si la question est
sotte, n'en parlons plus.

— La question n'est pas sotte. Mais elle m'embarrasse. » Effectivement Cornaboux se gratta la tête. « Elle m'embarrasse terriblement.

— Comme je sens bien qu'ici encore je n'ai pas le droit d'interroger, je ne puis que vous écouter.

— Cette jeune fille, seriez-vous prêt à répondre pour elle ?

— La question paraît un peu absurde... Mais... soit... dites mieux ce que vous entendez par là.

— Pouvez-vous jurer qu'elle ne fera rien contre nous, rien qui ressemble à une trahison, rien qui soit contre l'honneur ?

Ruchard prit une mine très sérieuse :

— Attendez... Rien contre vous ?... elle peut sans le vouloir, sans même s'en douter, faire quelque chose qui vous devienne nuisible. Comment en jurer ? Rien qui ressemble à une trahison, rien qui soit contre l'honneur ? Oui, cela, je suis prêt à en jurer.

— Et ce n'est pas parce qu'elle a de si beaux yeux, ni une si belle voix ?... Car j'ai vu comment vous la regardiez, hein ? mon compère... Enfin, j'espère que les brigands n'arriveront pas encore aujourd'hui, et que j'aurai le temps, jusqu'à demain, de réfléchir. D'ici là, nous lui défendrons de quitter sa chambre. Je vais lui donner celle où j'ai failli vous mettre, vous savez ? De toute façon, cette jeune fille a besoin de repos.

Ils rentrèrent dans la petite salle.

XI

Le soleil du lendemain, sans se montrer encore, illuminait la cime du versant et déjà, sur l'autre flanc du vallon, toute une largeur de feuillage. Ruchard, Jeanne de Meyrueis, Piquereau, Toinon, étaient à cheval ; Maître Cornaboux à pied. Ils occupaient le milieu du carrefour. Jeanne, montant sa bête à califourchon, et avec son costume à peu près masculin, était redevenue tout à fait guerrière d'aspect. L'éclat de ses yeux semblait moins étrange en plein air que dans la petite salle.

Le meunier tendait l'oreille, scrutait les abords :

— Notre moment n'est pas trop mal choisi » dit-il. « Même s'ils montent aujourd'hui, il y a peu de chances pour qu'ils se soient mis en route de si bonne heure. A partir d'ici, vous n'avez pas beaucoup de rencontres à craindre. Toinon connaît les passages dans les bois. Obéissez-lui bien ; et vous arriverez sans difficulté.

Il fit un signe à Ruchard :

— Ne descendez pas de cheval ; ce n'est pas la peine. Mais venez par ici.

Ils s'écartèrent de quelques pas. Ruchard, voyant que les façons du meunier étaient un peu mystérieuses, mit pied à terre pour mieux s'approcher. Cornaboux lui tendit sa main fermée ; et comme l'autre machinalement ouvrait la paume, le meunier y posa un petit objet.

— Vous regarderez cela plus tard » dit Cornaboux à mi-voix. « Serrez-le bien, et ne le perdez pas.

Ruchard glissa l'objet dans sa poche. Il avait eu le temps de discerner un rectangle de bois poli, grand comme le pouce, sur quoi était gravé, en rouge, une espèce d'entrelacs.

— Il est inutile que vous en parliez à Pique-reau, ou à la demoiselle. Quand vous serez là-haut, vous le montrerez. Mais demandez bien qu'on vous le rende. Toinon me le rapportera. C'est un signe de reconnaissance. Bien entendu, Toinon sera là aussi pour vous présenter. Et ils sont avertis déjà de votre arrivée, à vous. Mais ils ne s'attendent pas à la demoiselle. Toinon leur dira ce qui en est. Le signe achèvera de les rassurer. Ils savent que je ne le confie pas à n'importe qui. Si vous avez des difficultés, demandez tout de suite à voir le gouverneur.

— Le gouverneur ?

— Oui... Vous comprendrez quand vous serez

là-haut. De toute façon, même s'ils ne font pas d'histoires pour vous laisser entrer, il faudra demander à voir le gouverneur le plus tôt possible.

— Je dirai... quoi ?... que je veux voir le gouverneur ?

— Oui. Dites que c'est très pressé et très important ; que vous avez une commission à lui faire de la part du moulin.

— Bien... et ensuite ?

— J'en aurais bien chargé Toinon. Mais venant de vous, ce sera mieux. Et je veux tout de suite faire sentir au gouverneur que vous êtes entièrement dans notre confiance.

— Sauf que je ne sais ni quel est cet endroit où vous m'envoyez, ni à qui j'aurai affaire.

— Vous comprenez : moi, je vous dirais cela très mal. Et ce n'est guère à moi de décider jusqu'où il faut aller dans les explications. Donc, vous demanderez aussitôt à parler au gouverneur, et à rester seul avec lui. Alors vous lui dites qu'ils doivent dès maintenant se mettre en état d'alerte.

— Savent-ils déjà quelle est la situation par ici ?

— Oui, je les ai tenus au courant. Encore hier matin ils ont eu un messager de moi. Le gouverneur voudra peut-être se faire redire certaines choses, ou avoir plus de détails. Naturellement répondez-lui, sur ce que vous savez. Mais ne tar-

dez pas à en venir au principal. Voici... » Et Cornaboux appuya sur ses mots : « Qu'ils postent
tout de suite des guetteurs à la tour carrée. Dès
que les Impériaux arrivent chez moi, je fais une
grosse fumée noire à la cheminée du moulin. Je
mettrai aussi mon chiffon blanc au sommet de
l'arbre. Mais de là-haut, je ne pense pas que ce
soit visible. Pour la fumée, tout est prêt. Nous
n'avons qu'à allumer. Une grosse fumée noire.

— Et vous êtes sûr qu'elle se verra de là-haut ?

— Oui, oui. De la tour carrée, justement. Le
gouverneur sait très bien. Bon. Plus la bande qui
nous tombera dessus sera nombreuse, plus je
tâcherai de grossir et de faire durer la fumée.
Dans la mesure du possible, hein ? Qu'ils n'aillent
pas compter cela comme des points d'aiguille... A
partir du moment où ils ont vu la fumée noire,
il y a péril. Même si la fumée noire s'arrête, cela
ne fait rien. Il y a toujours péril. L'alerte finira
seulement quand ils verront une grosse fumée
blanche.

— La couleur ne risque pas d'être douteuse ?

— Nullement. Je connais mon affaire. Ce ne
sera pas plus facile à confondre que de l'encre et
du lait. La fumée blanche voudra dire : « Ils sont
partis. Et en outre, ils ne partent pas de votre
côté. »

— Compris.

— Ah ! Encore ceci, qui est très important.

Supposez que, pendant que les Impériaux sont au moulin, ou autour du moulin, j'arrive à me convaincre que décidément ce n'est pas par hasard qu'ils sont venus se fourrer dans ce vallon, mais qu'ils ont eu des renseignements, oui, qu'ils se doutent plus ou moins de ce qu'il y a là-haut ; et donc qu'ils vont sûrement essayer d'y monter. Soit qu'ils fassent l'expédition tous ensemble, du premier coup. Soit qu'ils envoient d'abord une patrouille, en reconnaissance. Alors je continue ma fumée noire, ou je la refais si je l'ai interrompue. Mais, écoutez bien, j'y mêle des flammes.

— Pour la couleur, j'admets. Mais vous êtes sûr qu'on distinguera des flammes, de si loin ?

— J'en suis sûr. Je ne ferai pas une flammèche ou deux, perdues dans le flot de fumée. Non. De longues flammes, très claires, pendant une heure et plus au besoin. J'ai de la volige toute préparée pour cela.

— Vous ne craignez pas non plus de faire des flammes sans le vouloir, en produisant votre grosse fumée ?

— Non, non. J'emploierai ce qu'il faut... Une flammèche, par accident, ou une bouffée d'étincelles, cela pourrait arriver. Ils verront vite que cela ne compte pas. Mais de vraies flammes, bien hautes, bien claires, pendant un quart d'heure, une demi-heure de suite, comment voulez-vous qu'on s'y trompe ?

Il reprit :

— Il va de soi, aussi, que j'expédierai un messager dès que je pourrai. Mais la flamme leur gagnera du temps... Dites bien également au gouverneur que si les brigands montent là-haut, c'est qu'ils se seront obstinés. Je ferai tout pour qu'ils changent d'avis. Tout dépendra de qui les a renseignés, et de ce qu'on leur a conté au juste. » Il hésita, baissa la voix encore un peu plus : « Une dernière chose que vous pourriez dire au gouverneur : qu'il n'oublie pas la peste froide. Répétez-lui bien ces mots-là... Parce que moi, je compte leur semer l'idée dans la tête. Hein ? Dites-le lui.

Ils revinrent vers le groupe. Cornaboux fit ses adieux, souhaita bonne chance, fut d'une courtoisie très galante envers Jeanne de Meyrueis, demanda que Toinon redescendît le lendemain matin si rien ne la retenait là-haut, mais, en tout état de cause, ne fît la dernière partie du chemin de retour qu'avec précaution.

— A plus forte raison s'il y a une alerte ici... je viens d'expliquer à monsieur. Dans ce cas, moi, je te conseille de rester là-haut. Mais si tu as décidé de revenir quand même, ou que l'on t'ait chargée d'un message, ne viens pas te jeter à l'aveugle dans la gueule du loup. Sache par où te présenter, et comment, et tâche d'avoir une histoire toute prête. Je répète : dans ce cas-là, j'aime cent fois mieux que tu restes là-haut. Si le gouverneur veut absolument te confier, à toi, un message, qu'au moins il te fasse accompagner.

* * *

Après qu'ils eurent suivi quelque temps une sente qui partait du carrefour et montait entre les arbres, Toinon qui menait la file arrêta son gros cheval noir.

— Il ne faut pas que je me trompe », dit-elle. « C'est par ici que nous devons quitter le chemin frayé pour prendre à travers bois.

— Je croyais » dit Ruchard plaisamment, « que vous connaissiez l'itinéraire comme votre poche.

— Ici j'ai toujours une hésitation. L'aspect change tant soit peu d'une semaine à l'autre.

— Vous êtes sûre que nous pourrons passer ? » dit Ruchard en désignant le fourré que Toinon interrogeait des yeux.

— Nous descendrons de cheval, bien entendu. Nous n'avons à faire qu'une centaine de pas. Il suffit d'écarter les branches qui frapperaient le visage. Aucune par ici n'a d'épines. Mais nous devons éviter de marcher l'un derrière l'autre.

— Pour que les branches qu'on écarte n'aillent pas gifler le suivant ?

— Non. Pour en briser le moins possible et ne pas trop fouler le sol. Nous marcherons à dix ou quinze pas l'un de l'autre. Moi je tiendrai à peu

près le milieu. Tâchez de ne pas me perdre de
vue et de vous régler sur moi. C'est très court.
Nous rattraperons un nouveau sentier un peu plus
loin. Que nous serons d'ailleurs obligés de quitter aussi.

— Un sentier qui vient d'où ?

— Des bords du ruisseau, plus loin, et qu'on
ne peut absolument pas découvrir si l'on a suivi
ce chemin où nous sommes depuis l'entrée du
vallon jusqu'ici. A moins qu'on ne soit renseigné ;
ou encore mieux, qu'on n'ait un guide.

— Et ce chemin où nous sommes, où va-t-il
ensuite ?

Toinon sourit :

— A partir d'ici, vous voyez, il monte droit
dans les bois ; et là-haut, sur le plateau, il continue à travers champs. Il se perd en arrivant à des
hameaux, à des propriétés. Il ne mène en aucune
façon dans la direction de...

— De ?...

— De là où je vous conduis.

— Mais » dit Ruchard en examinant à nouveau
l'épaisseur de bois qu'ils auraient à franchir,
« est-ce que malgré tout, là-dedans, les traces de
passage ne restent pas visibles ?

— Assez peut-être pour un œil de braconnier,
ou pour des gens qu'on aurait mis en éveil. Des
soldats étrangers n'y regarderaient pas de si près.
Et puis, chaque fois nous changeons un peu d'en-

droit. Nous évitons d'augmenter les traces précédentes. C'est même pourquoi vous me voyez réfléchir. Sans compter que, dans la belle saison, les branches se redressent vite, ou repoussent.

Ils s'engagèrent dans le sous-bois, chacun tirant sa bête par la bride et se tenant à bonne distance du voisin. Ils se faufilaient de leur mieux. On entendait craquer parfois des branchettes, ou la broussaille. Mais, en se retournant, l'on devait avouer que les signes d'un passage étaient peu évidents, et que même si on les remarquait, l'on pouvait aussi bien les attribuer à quelque gros gibier.

Quand ils eurent atteint le nouveau chemin, ils se replacèrent en file. Ruchard venait derrière Toinon, qui ouvrait la marche.

Comme le sol herbeux et mou absorbait le bruit des sabots, il réussit à conduire avec elle une conversation entrecoupée. Elle montrait peu d'empressement à répondre. Plus d'une fois il eut à lui dire :

— Est-ce que vous avez entendu ?

Il commença par des propos enjoués :

— Vous n'admirez pas cette jeune fille ? Est-ce que vous, mademoiselle Toinon, vous seriez partie comme cela sans rien savoir ?

Elle rit :

— Je suis bien partie toute seule avec vous trois : deux hommes, et une fille qui n'est pas loin de valoir un homme ; et trois dont l'histoire n'est pas des plus claires. J'aurais pu me méfier aussi.

— Voyons ! C'est nous qui sommes entre vos mains. S'il vous plaisait de nous conduire à un traquenard, ou à une caverne de brigands, il ne tiendrait qu'à vous.

Elle éclata de rire.

— Il faut nous récompenser de notre obéissance » reprit-il. « Dites-moi un peu ce qui nous attend là-haut.

— Je ne sais pas.

— Comment, vous ne savez pas ?

— Non, je ne suis pas dans la tête des gens.

— Vous faites exprès de ne pas comprendre. Quel est au juste cet endroit où nous allons ?... Eh bien ?... Vous n'avez pas entendu ?

— Maître Cornaboux vous a déjà donné toutes sortes d'explications. Mais si ! Pour le surplus, eh bien ! vous serez là-haut dans une heure. Vous vous rendrez compte de tout par vous-même.

— Enfin ! Je vois que vous avez l'ordre de ne pas parler. Vous devriez pourtant vous mettre à notre place. Ecoutez : je vais poser ma question autrement. Quand nous serons là-haut — puisque cela s'appelle là-haut — aurons-nous lieu de regretter d'y être venus ? Répondre là-dessus, c'est de la simple humanité.

— Vous n'aurez pas à regretter, je crois.

Il ralentit son cheval, se laissa rattraper par Jeanne de Meyrueis, fit signe à Piquereau qu'il passât devant.

— Va tenir compagnie à Toinon.

Il dit à Jeanne, en prenant lui-même la dernière place de la file :

— Je faisais justement votre éloge à Toinon, notre guide.

— Et pourquoi ?

— Je vous admirais de partir ainsi bravement, avec des inconnus, pour des lieux inconnus.

— Oh ! ce monsieur n'a pas l'air d'un mauvais homme. Ni vous.

— Que savez-vous de l'endroit où nous allons ?

— A peu près rien.

— Pourtant vous acceptez d'y aller ?

— Je suppose que vous ne m'y mèneriez pas s'il y avait danger pour moi ?

Elle avait dit ces mots avec une entière simplicité.

— Votre confiance me touche » répondit-il. « Mais il est honnête que je vous fasse un aveu. Je n'ai que des idées très vagues sur cet endroit. Maître Cornaboux, par précaution je pense, m'en a dit le moins possible.

— Même dans cette longue conversation qu'il a eue tout à l'heure avec vous ?

— Oui. Il m'a donné le moyen de me faire

reconnaître. Et aussi une commission importante.
Mais aucun détail sur le lieu ni sur les gens.

Elle parut soucieuse :

— Il n'y a qu'une chose qui m'ennuierait » dit-
elle.

— Quoi donc ?

— Que ce fût un couvent.

Il rit :

— On ne vous y retiendrait pas de force.

— J'ai horreur des couvents » déclara-t-elle en
fronçant les sourcils sur ses beaux yeux bleus.
« J'ai fait la guerre dans la montagne en partie à
cause des couvents.

— Je n'en suis pas très ami non plus. Mais
Cornaboux a l'air de penser que là-haut nous
serions en sûreté, au moins pour quelques jours.
Je ne serais pas fâché de n'avoir à me mettre en
route qu'après que les Impériaux auraient débarrassé le pays.

— Je ne tiens pas à les rencontrer non plus.
Mais je ne puis pas me réfugier dans un couvent.

— Pourquoi ?... Si par hasard c'est un couvent — car rien ne le prouve, et je ne suis pas
porté à le croire — ils nous accueilleront, vous et
moi, parce que nous aurons la recommandation
de Cornaboux. Nous ne dirons que ce que nous
voudrons. Je vais demander à Piquereau et à Toinon de tenir leur langue. Nous repartirons quand
nous voudrons.

Elle ne répondit pas. Son visage était maussade.

— En somme » reprit-il, « quel projet aviez-vous ?

— Aucun.

— Vous alliez devant vous, à l'aventure ?

— Ma foi oui.

— Je n'ai pas trop le droit de m'en étonner » dit-il en riant. « Mais enfin vous espériez bien un jour ou l'autre trouver ceci ou cela. Vous aviez bien quelque idée sur l'avenir ?

— A peine. Je tâchais de n'y pas penser. Je me disais : « Si Dieu m'approuve, il s'occupera de moi. »

Mais Toinon les attendait à une courbe du sentier.

— Nous avons encore une petite épaisseur de bois à franchir » dit-elle. « Le chemin où nous sommes va lui aussi se perdre sur le plateau.

En effet, le sentier, faisant un coude vers la gauche, et se relevant, paraissait monter en ligne presque droite vers la cime du vallon. Sans doute était-ce une autre voie d'accès à la rivière dont usaient les gens des hameaux ou des fermes du plateau.

Ils s'enfoncèrent dans le sous-bois de droite, en répétant la manœuvre qu'ils avaient faite plus bas. Ils tombèrent cette fois sur un rond-point herbeux. Le bassin d'une source, bordée de quelques pierres plates, s'ouvrait au centre. Aucun

ruisselet visible n'en sortait. Mais sur la droite
l'on remarquait, à l'épaisseur de sa verdure, une
bande de sol spongieux qui s'allongeait dans le
sens de la pente. L'eau s'écoulait par là. Au fond
du rond-point, et en face, prenait un chemin
forestier plus large.

Ils laissèrent leurs chevaux boire à la source ;
puis s'engagèrent dans le chemin.

Après un quart d'heure ils virent en face d'eux
le bois légèrement s'éclaircir ; puis dans les vides
du feuillage paraître une assez haute muraille,
dont la couleur était ancienne. Cette muraille,
dans la mesure où elle se laissait découvrir ou
deviner, semblait s'étendre loin sur la droite
comme sur la gauche. Elle était percée, en face du
chemin, d'une porte étroite et basse. Plus en
arrière, au-dessus du mur, apparaissaient, ayant
entre eux comme l'intervalle d'une cour intérieure,
deux toitures d'ardoise très inclinées. L'on pensait aux bâtiments jumeaux d'un corps de garde,
ou d'une conciergerie. Mais à côté de la petite
porte, on n'en voyait pas une autre qui pût servir
au passage de cavaliers ou de voitures.

Quand ils ne furent plus qu'à une faible distance, Toinon donna le signal de l'arrêt.

— Je vais nous annoncer d'abord » dit-elle.
« Ensuite, vous monsieur Ruchard, vous pourrez
leur présenter cette chose que Maître Cornaboux
vous a confiée.

Elle descendit de son cheval, dont elle remit la bride à Piquereau, fit à pied la vingtaine de pas qui les séparait de la petite porte, frappa plusieurs fois avec le heurtoir.

La porte s'entre-bâilla. Puis la servante, que l'on venait sans doute d'examiner et de reconnaître, fut admise.

Jeanne dit à Ruchard :

— Cela pourrait bien être un couvent.

— Attendez de savoir.

Toinon reparut bientôt.

— Ils ne veulent pas nous laisser entrer tous les quatre. Vous devriez », dit-elle à Ruchard, « venir insister avec moi ; leur montrer le carré de bois.

Comme Ruchard s'avançait, un homme se fit voir sur le seuil de la porte, vêtu d'une espèce de souquenille brune, coiffé d'un bonnet, ayant au menton une courte barbe. Ruchard alla jusqu'à lui, ouvrit la main droite dans le creux de laquelle était l'objet.

Sans lâcher le battant, l'homme jeta un coup d'œil sur le carré de bois et dit, en levant sa main libre :

— Moi, cela ne me regarde pas. Faites le tour.

— Mais c'est toujours de ce côté-ci que nous avons affaire » s'écria Toinon. « Monsieur a un message très pressé pour le gouverneur. En faisant le tour, nous allons perdre beaucoup de temps. Où voulez-vous que nous marchions avec tout ce fouillis de branches ? Moi-même je ne sais pas le chemin. Je ne suis jamais passée par l'autre côté.

L'homme fit un geste vers sa gauche, qui était la droite des arrivants :

— Vous n'avez qu'à vous tenir le plus près du mur que vous pourrez. C'est juste à l'opposé d'ici. Vous trouverez sûrement. L'entrée par là-bas est bien plus grande. Elle est au bout d'une allée d'arbres. Et les bâtiments sont bien plus grands et bien plus hauts.

Il rentra en refermant la porte.

Les quatre cavaliers cherchèrent à travers bois leur chemin en tâchant de ne pas perdre de **vue** la muraille. Ils profitèrent d'un talus herbeux qui flanquait une longue rigole ; puis d'une sente à peu près tracée ; puis d'un couvert où les troncs d'arbres très écartés et le sol net de broussailles laissaient un passage facile.

— C'est vrai » demanda Ruchard à Toinon, « que vous n'avez jamais fait le tour par cette autre porte où l'on nous envoie ?

— C'est vrai.

— Et vous n'y êtes jamais allée par l'intérieur non plus ?

— Aux bâtiments dont il parlait ? Si. Plus d'une fois.

— Et quels sont ces bâtiments dont il parlait ?
Elle rit :

— Vous allez le savoir dans quelques minutes.

Il leur fallut au total près de trois quarts d'heure pour atteindre un angle de la muraille d'où l'on apercevait au loin sur la gauche, entre les feuillages, de grandes toitures en demi-cercle.

XII

Conduits par un gardien, ils s'engagèrent dans une vaste cour pavée que fermaient derrière eux la muraille d'enceinte qu'ils venaient de franchir, et devant eux trois bâtiments séparés, disposés en demi-hexagone, chacun ayant trois étages et de nombreuses fenêtres. Celui du milieu portait une inscription : «Hospice de Saint-Bernard».

Un valet, qui venait derrière, leur indiqua, au bas de la façade de gauche, une rangée d'anneaux où attacher leurs bêtes. Plus loin, vers le milieu de la façade, s'offrait une large porte, encadrée de pierre sculptée, dont le battant de chêne bardé de ferrures était ouvert.

Ils y pénétrèrent. Un homme, vêtu comme un bourgeois de commerce, qui se tenait debout dans le vestibule, les fit passer dans une sorte de salle d'attente à bancs de bois, et leur dit :

— Vous ne demandez pas à être reçus tous les quatre ensemble par M. le Gouverneur ?

— Non » dit Ruchard. « Mademoiselle » il dé-

signait Toinon, « pourrait le voir d'abord, et lui
annoncer notre arrivée. Ensuite, s'il le veut bien,
M. le Gouverneur me recevra. J'ai un message à
lui communiquer d'urgence. Lui a-t-on remis le
petit carré de bois ?

— Oui, il l'a sur sa table.

— Je ne serai que deux minutes » dit Toinon.
Elle ne resta en effet que peu de temps.

— Il a l'air très bien disposé » dit-elle à Ruchard quand elle ressortit de chez le gouverneur.
« Je viens de lui rappeler qui vous étiez... il le
savait déjà... et de parler de Mademoiselle. C'est
à vous de lui faire les autres commissions.

Ruchard fut introduit. La salle était plus spacieuse que la précédente, avec de grosses solives
sculptées et peintes, des meubles sombres d'un
riche travail, quelques portraits au mur dont plusieurs représentaient des personnages en habit
religieux. Le gouverneur, homme corpulent à
barbe grisonnante, se tenait derrière une grande
table. Il jouait avec le signe gravé qu'il tenait
entre ses doigts.

— Je savais déjà, en gros, votre histoire, avant
que vous arriviez. Mais il paraît que vous nous
amenez une jeune fille ?

Il parlait avec calme et lenteur, et un fort
accent de Bourgogne. Il affectait de froncer le
sourcil, tandis qu'un léger sourire trahissait de
l'amusement.

— Je tâcherai de vous expliquer cela » répondit Ruchard. « Mais il faut d'abord que je m'acquitte d'une commission, dont m'a chargé Maître Cornaboux, et qui est de toute urgence.

Il rapporta les derniers renseignements sur l'avance des Impériaux, les dispositions de Cornaboux au sujet des fumées.

Le gouverneur se leva :

— En effet. Il n'y a pas de temps à perdre. » Il réfléchit. « Même il est bien dommage que vous ne soyez pas entrés de l'autre côté. Mon sous-intendant se trouve par là. Vous auriez pu lui dire l'essentiel. Il eût mis aussitôt des guetteurs à la tour.

— Nous avons demandé l'entrée. Le gardien n'a pas voulu.

Le gouverneur se dirigea vers une porte qui était au fond de la salle :

— Je vais expédier des ordres aussitôt. Ensuite je vous enverrai vous-même là-bas ; et j'irai vous y retrouver. Vous avez dit : fumée noire... fumée blanche... oui... le moyen nous a déjà servi... Les flammes, c'est plus nouveau... mais je comprends.

Il disparut. On l'entendit héler quelqu'un. Puis il y eut un murmure de voix, le bruit d'une porte refermée, de pas rapides qui s'éloignaient.

Le gouverneur rentra dans la pièce.

— Parlez-moi maintenant de votre jeune fille.

Ruchard dit brièvement ce qu'il savait.

— Tout cela, vous ne le tenez que d'elle ?

— Oui, mais je suis persuadé qu'elle ne ment pas. D'ailleurs je vous conseille de la voir. Vous la jugerez.

Le gouverneur se mit à rire en secouant son buste.

— Il paraît que c'est une jolie fille. Alors je me méfie de moi. Quand une frimousse est trop jolie, je m'en laisse facilement conter. Mais peut-être vous non plus n'êtes-vous pas insensible ?

Ruchard rit à son tour :

— Non certes ; une jolie menteuse pourrait m'entraîner à bien des choses ; sauf pourtant à la croire.

— Mais qu'espérait-elle en vous accompagnant ?

— Trouver un abri plus sûr que le moulin, je pense.

Le gouverneur eut un nouvel accès de gaîté :

— Et vous, en venant ici ?

— Moi ?

— Oui... Si j'ai bien compris, Cornaboux ne vous a pas trop renseigné sur l'endroit ?

— Non.

— Néanmoins, vous êtes venu ?

— Vous le voyez.

— A quoi exactement vous attendiez-vous ?

Ruchard souleva les épaules :

— C'est un de ces cas » dit-il en cherchant ses

mots, « où la sympathie tient lieu de réflexion. Je
vous dirai que Maître Cornaboux m'a plu. Son
moulin m'a enchanté. Fatigué comme j'étais de
bien des choses, j'y serais, ma foi, resté indéfini-
ment. Mais avec cette arrivée de soudards impériaux, Maître Cornaboux s'est mis à craindre pour
moi. Il m'a semblé que c'était vraiment pour mon
bien qu'il souhaitait me voir chercher refuge dans
cet endroit-ci. J'ai senti qu'à ses yeux il n'y avait
pas de lieu plus plaisant au monde, ni de plus
sûr. J'ai bien essayé de l'interroger, mais j'ai vu
que je lui faisais peine. Alors, que voulez-vous,
je me suis dit : « Qu'ai-je à perdre ? »

— Oui... Il ne vous a rien promis, en somme ?

— Rien. Moi aussi je m'estimerai comblé si
vous m'abritez... l'espace de quelques jours.

— Vous êtes pressé de repartir ?

— Non. Personne ne m'attend.

Le gouverneur se caressa la barbe :

— Vous devez avoir une assez grande expérience des affaires ?

— Point tellement. Un peu, il est vrai. Des
affaires modestes.

— Vous avez été à la tête d'une ville pendant
des années !

— Oui, dix ans. Mais c'est une petite ville.

— N'importe. Et si j'ai bien compris, ce n'est

pas parce que les gens étaient mécontents de vos services que vous les avez quittés ?

— Non certes. Il aurait suffi de me prêter à deux ou trois petits crimes.

Ils rirent ensemble.

— Vous avez emmené un domestique avec vous ?

— Oui.

— C'est un brave garçon ?

— Oui ; loyal et avisé. Il a voulu me suivre ; partager mon sort.

Le gouverneur semblait considérer ces divers points.

— Un de mes hommes de garde va vous conduire de l'autre côté... là où vous auriez dû entrer en arrivant. Ici c'est un hospice, mon Dieu, comme un autre. Peut-être un peu mieux qu'un autre... Là-bas vous n'aurez pas de peine à voir que... que la destination des lieux n'est pas la même ; ni les gens qui les habitent. Vous ne serez pas long à vous expliquer pourquoi, dans le temps où nous sommes, c'est spécialement de cet autre côté, là-bas, que nous ne cherchons pas à attirer l'attention. Vous, réflexion faite, je vais vous loger dans le même pavillon qu'un vieux gentilhomme des plus distingués. Un petit appartement au rez-de-chaussée y est devenu libre. Il y aura de la place pour votre valet. Quant à votre jolie huguenote, je pense la confier à trois dames, qui vivent ensemble.

— Et Toinon, la servante du moulin ?

— Nous la caserons là-bas aussi pour le peu de temps qu'elle restera. Ne soyez point en peine à son sujet... Moi, je règle ici une ou deux affaires, puis je mets mon cheval au trot pour vous rejoindre. Si vous voyez avant moi mon sous-intendant, communiquez-lui le message de Cornaboux. Je le lui ai fait transmettre par l'homme que j'ai envoyé. Mais on ne sait jamais. Deux sûretés valent mieux qu'une.

Il se leva. Ruchard, au moment de prendre congé, se ravisa, et dit :

— Ah ! Maître Cornaboux m'a chargé d'une autre commission.

— Laquelle ?

— Je cite simplement ses paroles ; car il ne m'a rien expliqué : « Dites au gouverneur qu'il n'oublie pas la peste froide. »

— La peste froide ?... » Le gouverneur haussa les sourcils. « Oui, oui, je vois. Oui, c'est une idée. Nous y réfléchirons.

A son tour, il retint son visiteur qui allait sortir :

— Notre histoire de signaux, de fumée, n'en parlez pour le moment à personne d'autre qu'à M. Guèbe, le sous-intendant, si vous le rencontrez, n'est-ce pas ? Je veux pouvoir prendre mes dispo-

sitions en toute liberté d'esprit, et sans rien autour
de moi qui ressemble à de la panique. Est-ce que
vos compagnons sont au courant ?

— La servante Toinon ? peut-être. Mon domestique, ou Mlle de Meyrueis ? je ne crois vraiment
pas.

— Dites-leur en tout cas de se taire.

XIII.

Tous quatre partirent derrière un homme de service, lui aussi à cheval. Ils passèrent entre le bâtiment de gauche, et celui du milieu. Ils franchirent d'abord une cour herbeuse, puis une suite d'enclos qui étaient des potagers, des vergers, des vignes, et qui, sur la gauche comme sur la droite, semblaient former tout un quadrillage de murailles. Tantôt ils suivaient le chemin central, bordé lui-même de murs peu élevés ; et du haut de leurs bêtes ils apercevaient aisément les carrés de légumes, les quinconces, les rangées de ceps, les espaliers des enclos les plus proches, et des sommets de frondaisons, ou des crêtes de murailles, qui appartenaient aux enclos plus éloignés. Tantôt le chemin, par une large ouverture librement béante, sans battants de bois ni grilles, pénétrait dans l'enclos suivant et le traversait au milieu même des cultures, dont le nombre, la variété, l'aspect de prospérité donnaient au cœur un sentiment de vie facile, de paix copieuse, de surcroît réjouissant. L'on se dirigeait à peu près vers l'ouest.

Ruchard avait répété à ses compagnons ce qu'il croyait bon de leur faire connaître de sa conversation avec le gouverneur. Il crut deviner, ce qui fut loin de le surprendre, que le système des signaux par fumée n'avait rien de secret pour la servante. Mais il ne chercha point à s'en assurer ; et se contenta de dire en général :

— Le gouverneur m'a bien recommandé de ne faire aucun bavardage auprès des personnes que nous rencontrerons. Si l'on nous interroge sur l'avance des Impériaux, restons dans le vague. Le gouverneur se réserve de parler le moment voulu.

Puis il s'arrangea pour venir à la hauteur de Jeanne ; et lui dit :

— Quelle impression avez-vous maintenant ?

— Il faut attendre encore.

— Vous êtes certaine déjà que ce n'est pas un couvent.

— Si l'on veut. Mais il est bien probable que ce sont des espèces de religieuses qui font le travail de l'hospice.

— Peut-être. Mais c'est déjà tout autre chose. Au surplus l'hospice même ne semble pas devoir nous intéresser. Et ce qui nous attend là-bas m'a l'air d'être encore plus loin des façons d'un couvent.

— Nous saurons cela bientôt.

— Vous ne trouvez pas que ces enclos font plaisir à voir ?

— Oui, c'est vrai.

Sans se montrer disgracieuse, elle ne mettait aucun entrain à parler. Tout son feu s'était amorti. Il semblait qu'elle fût devenue presque indifférente à sa propre aventure. Elle regardait autour d'elle. Ses yeux, qui avaient du reste comme rétracté en eux-mêmes leur étonnant pouvoir, restaient distraitement posés sur l'encolure de son cheval.

Ils laissèrent derrière eux ce quadrillage d'enclos, et ils virent s'étendre des champs, coupés de prairies et de bosquets. Puis une région très découverte, où s'allongeaient seulement quelques lignes d'arbres. Dans les herbages paissaient des bestiaux à robe claire, que personne ne semblait garder. Rien ne faisait prévoir non plus à quoi de nouveau pouvait mener cette solitude campagnarde. La direction restait celle du couchant.

Enfin ils découvrirent au loin sur leur droite, au nord-ouest, des toitures, dont l'une était longue, assez haute, et surmontée en son milieu d'un campanile. Les autres, plus basses — sauf la pointe d'un petit clocher — semblaient former une agglomération irrégulière, qui, mal distincte sur un fond d'arbres et de verdure, s'étirait en s'amenuisant vers la gauche où elle aboutissait à une maisonnette persque isolée.

C'est du côté de cette maison que l'on se dirigea.

Vue de près, elle avait la taille d'un presbytère de village. La construction en était peu ancienne, le style, faiblement caractérisé, bien qu'il y eût dans le pignon et la toiture, ainsi que dans l'encadrement des fenêtres, quelque chose qui ne fût pas du pays.

L'homme qui servait de guide arrêta la marche.

— Voici où vous logerez, avec votre valet » dit-il à Ruchard. Il ajouta d'un ton perplexe : « Je crois que vous feriez bien d'attendre ici. M. le Gouverneur m'a dit qu'il viendrait vous y rejoindre. Nous autres, nous allons continuer. Votre valet peut nous accompagner avec vos deux chevaux.

— Et mademoiselle ?

— Elle aussi vient avec nous. C'est par là-bas qu'elle doit loger.

— Alors, je reste seul ?

— Pas pour longtemps. M. le Gouverneur ne tardera pas. Pour vous tenir compagnie, vous avez le gentilhomme qui est à l'étage : M. de Sarolière, il s'appelle. Il est vrai qu'il se repose peut-être.

— Mais pourquoi me prenez-vous mon valet ?

— Ce sera comme vous voudrez. Mais j'aurais été lui montrer l'écurie. Et puis comme cela il connaîtra le chemin du Prieuré. Il saura vous y conduire par la suite.

— De quel prieuré parlez-vous ?

— Nous appelons de ce nom la grande bâtisse

que vous voyez là-bas. Ce n'est pas un prieuré...
Nous allons toujours défaire vos bagages.

Piquereau et lui les mirent sur le sol, puis dans
la pièce d'entrée du pavillon, où Ruchard jeta un
coup d'œil.

— Vous logerez juste en face l'un de l'autre »
dit l'homme de service en désignant deux portes.

— Je les laisse là pour le moment » dit Piquereau en montrant les bagages. « Je reviens tout de
suite.

Ruchard observa, à part lui, que Piquereau ne
lui avait pas demandé son consentement. Peut-
être montra-t-il une trace d'humeur ; car son
valet ajouta sur un ton d'excuse :

— Votre cheval boîte un peu d'une patte depuis
la fin de la montée. Je l'ai bien vu quand je mar-
chais derrière vous. Plus tôt je pourrai le mettre
au repos et le palper, mieux cela vaudra.

— A tout à l'heure donc, mademoiselle. Je
regrette bien de ne pas vous accompagner. J'aurais aimé savoir sans autre délai ce que l'on fait
de vous, et si vous êtes contente de votre installation. Je ne serai pas long, en tout cas, à aller
prendre de vos nouvelles.

Pour un instant, l'incomparable regard de la
jeune fille sembla se ranimer. Mais ce ne fut
qu'une pulsation. Et elle répondit faiblement :

— C'est cela. Oui, c'est cela.

Si curieux qu'il fût d'arriver au terme même du voyage, et si déçu de se voir abandonner ainsi, presque sottement, Ruchard n'était pas moins pressé de reconnaître le logis qu'on lui destinait. Il se résigna donc à laisser les autres repartir sans lui.

Il pénétra dans le vestibule. Contre le mur du fond et celui de droite s'élevaient les deux rampes à angle droit d'un escalier de chêne foncé qui menait à l'étage. A gauche était la porte que l'homme de service lui avait désignée comme celle de son logis. A droite, sous le rampant supérieur de l'escalier, celle du logis de Piquereau. Il la poussa d'abord. Elle donnait dans une chambre, qui n'avait pas sept pieds de profondeur sur huit de long, avec un lit de bois étroit, une table, un escabeau, une fenêtre, petite et carrée. Au bout gauche de la chambre, une porte ouvrait sur un couloir coudé dont Ruchard devina qu'il conduisait à l'arrière de son propre logement. Il le suivit ; il trouva une chambre, plus grande que celle de son domestique, mais d'un mobilier presque aussi simple ; puis, d'équerre, une pièce qui paraissait environ le double de la précédente, et qui par une porte dans le mur de gauche, rejoignait le vestibule. C'était justement cette porte que l'homme de service lui avait montrée.

Mais ce qui le frappa d'abord et lui rendit un sentiment de bienvenue fut un feu de grosses

bûches qui rougeoyait plutôt que flamboyait dans
la cheminée. Comme l'on n'était même pas encore
à la fin des beaux jours, et que l'intérieur du
pavillon ne semblait pas particulièrement humide,
la précaution d'avoir allumé ce feu était de bon
augure quant aux usages de l'endroit. Cette vue
s'accordait à celle des enclos. Elle n'annonçait
point un régime d'austérités. Ruchard prit plaisir à s'asseoir devant les bûches. Il regarda la
pièce autour de lui. Elle pouvait servir de par-
loir, si l'on avait un visiteur, ou de lieu d'étude.
Deux fenêtres assez petites donnaient l'une sur la
façade, l'autre sur le côté du pavillon. La cheminée était construite dans le mur de la façade entre
la fenêtre et l'angle du mur. Quand on venait de
la chambre, on l'avait presque en face de soi ;
et si on laissait ouverte la porte de communication, la chaleur du foyer entrait directement dans
la chambre, et la lueur des braises allait toucher
le flanc bien ciré du lit. Il y avait encore dans la
pièce un bahut sculpté à deux corps, une table,
deux larges chaises à bras, et deux autres petits
sièges à dossier.

« Combien de temps resterai-je ici ? Combien
de temps voudront-ils de moi ici ? » La douceur
du moulin était surpassée ; la paix, plus profonde que là-bas ; la sécurité, plus parlante
encore, bien qu'illusoire peut-être.

Ce qui baignait le logis, ce n'était plus le ron-ron des rouages, ni l'odeur de farine. C'était le silence de la campagne.

Pourtant il entendit remuer à l'étage. Puis il se fit un bruit de pas. Ce furent des pas lents, lourds, et comme embarrassés, qui allaient et venaient. Un peu plus tard les pas se dirigèrent du côté de l'escalier, et se mirent à le descendre très lente-ment, accompagnés d'un autre bruit, qui pouvait être celui d'une grosse canne, ou d'une béquille.

Puis des coups furent frappés à la porte de gau-che, probablement avec cette canne. Ruchard dit qu'on entrât.

XIV

Il vit un vieil homme, beaucoup trop chaudement vêtu pour la saison, de grande taille, courbé, appuyé d'un côté sur une béquille à un seul montant, et la jambe du même côté enveloppée d'un épais bandage jusqu'au dessus du genou. Le visage, dans une barbe grise coupée à la Charles-Quint, était tout éclairé de bienveillance.

Le vieil homme salua très courtoisement.

— Vous êtes notre nouvel hôte ? » dit-il.

Ruchard, qui s'était levé, répondit :

— Mais oui... Puis-je vous prier de vous asseoir ?

— Bien volontiers. L'état de ma jambe me conseille d'écourter les cérémonies.

Il s'assit dans une des deux grandes chaises, sa jambe allongée vers le foyer, et reprit :

— De Bron m'avait annoncé votre venue... Ce logement du bas est libre depuis quelques semaines... hélas !... » Il fit un soupir et un geste qui semblaient évoquer un deuil. « Avec ma jambe, il était naturel pour moi de descendre m'y installer. Mais j'avais à déménager tant de livres et de paperasses !... Et puis, j'en suis à l'âge où le moindre changement prend les proportions d'un sac de Rome... Vous comptez demeurer parmi nous ?

— Je ne sais. Cela ne dépendra pas de moi principalement.

— Ah ?... de Bron m'a paru très bien disposé à votre égard. Il faut avouer que ce qu'on lui a raconté de vous était la meilleure recommandation.

— Il a déjà eu le temps de vous en instruire ?

— Oui, en gros. Mais il me plairait d'en entendre à nouveau le récit, et de vous.

Ruchard n'abusa pas de l'invitation qui lui était faite. Il résuma son histoire en quelques phrases. Chaque fois qu'il la redisait, elle lui semblait plus pauvre. Il ajouta en riant :

— Ce qui au moins a chance de vous amuser, c'est que je suis arrivé ici sans savoir au juste quelle espèce de lieu ce pouvait être. Cornaboux tremblait probablement à l'idée de trahir des secrets. D'un autre côté, il ne demandait qu'à me rendre service. C'est un excellent homme. J'ai accepté de venir les yeux fermés.

— Mais de Bron vous a renseigné quand il vous a reçu ?

— M. de Bron est le gouverneur ?

— Oui.

— A peine davantage. Il m'a dit que je ne tar-
derais pas à me rendre compte des choses par
moi-même.

Ruchard continua :

— M. de Bron m'a parlé d'un « sous-intendant », que je rencontrerais peut-être, et à qui,
en ce cas, j'avais un message, assez important ma
foi, à confier, ou à confirmer. D'autre part, l'homme qui nous a conduits m'a dit d'attendre le
gouverneur ici même. Je suis un peu dans l'embarras.

— Oh ! » fit le vieillard en riant, « de Bron
n'est pas des plus exacts aux rendez-vous. En chemin quelque chose a pu le détourner. Ou justement il est tombé sur M. Guèbe. S'il n'apparaît
pas dans peu de temps, nous aviserons. Pour
votre message, je suppose qu'il concernait l'avance
des Impériaux ? Vous les avez vus ?

Ruchard pensa que le vieux gentilhomme
n'était pas de ceux que le gouverneur craignait
de voir céder à la panique et la répandre. Il conta
donc en gros ce qu'il savait, et quel était son
message. Il ne fit pas mention de la peste froide.
Il signala au surplus que le gouverneur tenait
pour le moment à une grande discrétion.

— Oh ! moi, tous ces jours-ci, je ne sors pas
de ma chambre. A qui voulez-vous que je passe
la nouvelle ? Dites-moi encore. De ma fenêtre,
j'ai aperçu, quand vous arriviez, une jeune per-

sonne, vêtue en cavalier, qui était avec vous.
L'autre femme, je la connais. C'est la servante du
moulin.

Ruchard expliqua qui était Jeanne de Meyrueis,
comment elle était tombée chez Maître Cornaboux, pourquoi on l'avait crue, pourquoi on avait
eu pitié d'elle.

— Que cet oiseau d'un si différent plumage,
venu d'un si différent coin du ciel, s'abatte ici, en
quête d'un refuge, de n'importe quel refuge, et
le même jour que vous, voilà qui en dit long sur
la tempête qu'il fait ! » Il se tut, puis changeant
de ton : « D'un autre côté, je suis presque assez
fou pour m'en réjouir.

— De quoi ?

— De ce péril, de cette menace... Vous m'avez
dit que vous n'aviez, sur l'endroit où le destin
vient de vous jeter, que l'idée la plus confuse...
Vous ne pouvez donc pas sentir la chose comme
moi. » Il s'anima : « Monsieur, dites-vous que cet
endroit est plus rare et plus précieux qu'une
perle.

— En quel sens ?

— En ce sens qu'il a fallu des prodiges de
sagesse, d'ingéniosité, d'audace, de patience, de
bonne fortune pour le faire exister, et durer, en
un siècle comme celui-ci. Faites-nous l'honneur
de passer huit jours parmi nous, et nous en repar-

lerons. » Il s'animait encore davantage : « Songez
à ce qu'est autour de nous le royaume ! l'époque !

— Oui, oui...

— Eh bien ! si vous étiez arrivé ici la semaine
dernière, j'aurais pu vous faire entendre toutes
les jérémiades, lamentations, soupirs à fendre
l'âme de belles dames ennuyées et de messieurs
désœuvrés que vous auriez voulu. J'exagère à
peine. Les gens sont d'une ingratitude qui pro-
voque la foudre.

— Ce qui vous réjouit, donc, c'est qu'ils soient
à la veille d'en être punis ?

— Non, tout de même point. C'est qu'ils soient
mis à même de mesurer ce qu'ils ont à perdre.
Quand on leur parlera tout à l'heure des signaux
du père Cornaboux — car j'espère bien qu'on se
décidera à leur en parler — ils commenceront
peut-être à réfléchir... Et toutes ces rivalités d'enfants où ils se gâchent l'humeur ! Ah ! les hommes ne sont guère intéressants, cher monsieur ;
même ceux-là qu'on croirait issus d'un choix
sévère.

— Je suis en mauvaise posture » dit doucement
Ruchard, « pour saisir tout l'à propos de vos
remarques. N'oubliez pas que je ne sais toujours
rien de cet endroit, ni de la vie qu'on y mène. Et
si j'en devine quelque chose, c'est à l'aveuglette.

Le vieil homme le regarda d'un air méditatif.

— Je m'aperçois » dit-il, « que je ne me suis

même pas présenté. Je m'appelle Michel de Sarolière. Et pour être tout à fait exact, je dois noter
que mon père, dans plusieurs écrits de sa main,
du temps de sa jeunesse, se nomme de *la* Sarolière. *Grammatici certant.* » Il rit. « Le comte de
Juzennes, en avez-vous entendu parler ?

— Non.

— Vous êtes sûr que, pendant que vous étiez
au moulin, le père Cornaboux n'a fait aucune
allusion au comte de Juzennes ?

— Il n'a pas prononcé le nom.

— Et le gouverneur ?

— Pas davantage.

— Ah ! c'est pourtant Juzennes qui est à l'origine de tout. Ici, nous sommes chez lui ; nous
sommes encore chez lui. Tout mort qu'il est, il
demeure présent ; maître du lieu ; notre maître.

Ruchard se taisait. M. de Sarolière continua :

— Dans la cour de son château — qui n'était
pas ici, non, qui était à deux bonnes lieues —
Juzennes avait fait placer un cadran solaire, avec
une inscription latine. Attendez : il y avait deux
strophes. Quidquid... C'est effrayant comme je
perds la mémoire. Et je ne veux à aucun prix
estropier ce texte. Chose curieuse : j'ai noté qu'à
chaque nouvelle crise de mon rhumatisme, j'ai
une chute de mémoire, ce qui me gêne bien dans
mon travail. Donc l'inscription disait à peu près :
« C'est quand tous deviennent fous que l'heure

sonne pour quelques-uns de devenir plus sages... »
Et cela finissait ainsi : « Parvula Socratis domus...
la petite maison de Socrate était trop grande
encore pour ses amis. Et trop grand déjà l'arche
de Noé pour ceux qui méritaient le salut... »
Mais parbleu ! cette inscription, voilà que je me
rappelle que vous pourrez la lire ici tout à votre
aise. Suis-je décidément faible d'esprit ? Elle a
été recopiée. Elle figure au fronton de la bibliothèque, ici même, au Prieuré.

— J'ai déjà entendu parler du Prieuré. Je crois
même l'avoir aperçu de loin. Mais c'est tout.
J'ignore de quoi il s'agit.

— C'est parce que vous logiez ici qu'on ne
vous y a pas conduit d'emblée. Vous ne tarderez
pas à en faire connaissance. Car je suppose que
vous dînerez là-bas ?

— Je n'en ai aucune idée... Que ce soit ici ou
là-bas, j'espère que ce sera bientôt.

— Vous n'avez rien pris depuis ce matin ?

— Un morceau avant de partir.

— Au moulin ? Et rien ici ?

— Non.

— Comme si de Bron n'aurait pas pu y penser !
L'on m'apportera le repas dans moins d'une
heure. Quand je suis ingambe, je vais manger au
Prieuré, dans la salle commune. C'est une façon
de prendre de l'exercice ; et je vois des gens. Vous
me feriez plaisir en partageant avec moi. Oh ! ne

craignez rien. Les plats sont très copieux. Mais une heure, pour un homme qui meurt de faim, c'est très long. Vous n'avez pas votre domestique sous la main ? Vous auriez pu l'envoyer vous chercher un en-cas.

— Il est parti avec les autres, sous prétexte de s'occuper de nos bêtes. Il devait revenir aussitôt. Oh ! je ne doute pas que s'il a rencontré, lui, une occasion de se restaurer, il ne l'ait saisie... Décidément, je n'ai pas de chance avec mes rendez-vous.

Peu après, ils entendirent la porte extérieure s'ouvrir ; puis un raclement de gorge que Ruchard crut reconnaître.

— Le voilà justement » dit-il.

— Je vous laisse avec lui.

— Mais non, je vous en prie.

M. de Sarolière se laissa retomber au fond de la chaise.

— Eh bien ? Qu'as-tu fait tout ce temps-là ?

— Je me suis d'abord occupé des chevaux » dit le valet après avoir salué le vieux monsieur.

— Où sont-ils logés ?

— Dans l'écurie même du Prieuré. Ils seront très bien.

— Et la patte de mon cheval ?

— Ce n'est pas grave. Je l'ai frictionnée.

— Ensuite ?

— J'ai voulu voir où on logeait Mlle de Meyrueis.

— Très bonne idée. Où la loge-t-on ?

— Dans un des pavillons qui sont derrière la Demi-lune, à droite quand on vient.

— Tu oublies, mon cher Piquereau » dit Ruchard en adressant à M. de Sarolière un coup d'œil et un rire, « que tu as eu tout le temps de t'initier aux particularités de l'endroit, et que moi, qui t'attendais, je n'ai pas bougé d'ici.

Piquereau partit dans des explications un peu confuses, d'où il ressortait que, devant le grand bâtiment, celui qu'on appelait le Prieuré, s'étendait une place herbeuse en demi-cercle ; qu'autour de cette place, face au Prieuré, se rangeaient, à intervalles, un certain nombre de petites maisons, analogues par la taille au pavillon qu'eux-mêmes occupaient, bien que d'aspect différent ; que c'était cela qu'on appelait la Demi-lune ; mais qu'en outre, derrière cette Demi-lune, des maisons étaient éparses dans le bocage ; ainsi qu'une petite chapelle.

M. de Sarolière écoutait en hochant la tête, approuvait, corrigeait.

— Et avec qui habite Mlle de Meyrueis ?

— Avec trois dames, dont une est un peu âgée, paraît-il. Je n'ai vu que les deux plus jeunes.

— Bon. Mais tout cela t'a pris tellement de temps ?

— Je suis allé aux cuisines...

— Ah ! Nous y voilà !...

— ... pour m'occuper de la question de vos repas ! » dit Piquereau d'un ton blessé. « Si j'étais revenu sans avoir pensé à me renseigner, vous m'auriez fait des reproches.

— C'est juste ; eh bien ?

— Ils m'ont demandé si le dîner d'aujourd'hui — il sera dans à peu près une heure ; on l'annonce par une cloche — vous le prendriez ici, ou là-bas ?

— Qu'as-tu répondu ?

— Que pour la suite, vous verriez. Mais qu'aujourd'hui vous aimeriez mieux le prendre ici, puisqu'aussi bien ils se dérangent pour apporter celui de monsieur.

Ruchard fut sur le point de s'écrier que Piquereau s'était fort avancé, et que lui Ruchard souhaitait justement le contraire. Mais il crut sentir que le vieux gentilhomme se réjouissait de l'avoir pour convive. Il dit seulement :

— Soit... soit... mais j'avoue que j'ai hâte, moi aussi, d'explorer tous ces lieux dont tu me parles. Pour un peu, je ferais un saut jusque là-bas, en attendant qu'on nous apporte le dîner ici.

— Mais c'est que... le gouverneur m'a dit qu'il allait venir.

— Tu l'as rencontré ?

— Oui, quand nous traversions la Demi-lune.

— Je croyais qu'il devait passer par ici d'abord.

— Il lui est venu sans doute une autre idée.

Ruchard et le vieux gentilhomme échangèrent un coup d'œil.

— Il était pressé » poursuivit Piquereau, « de savoir si l'on avait bien reçu ses ordres. Il allait, paraît-il, à un endroit qui s'appelle la tour carrée.

— Tu ne sais pas s'il a appris quelque chose de nouveau ?

— J'ai vu le gouverneur parler avec deux messieurs, dont on m'a dit que c'étaient le sous-intendant, et l'un des médecins. J'ai vu aussi beaucoup d'agitation.

— Que veux-tu dire ?

— Eh bien, toutes sortes d'allées et venues d'un bâtiment à l'autre.

— Ce n'est pas que tu aies bavardé à tort et à travers ?

— Moi ? Je veux bien qu'on me pende si j'ai dit un mot de plus qu'il ne fallait. Vous me connaissez.

XV

Un bruit de chevaux se fit entendre. C'était le gouverneur, accompagné d'un valet. M. de Sarolière était remonté à l'étage.

— Pardonnez-moi » dit M. de Bron. « Je ne vous ai pas oublié. Mais j'avais hâte de vérifier la bonne exécution de mes ordres. Je voulais aussi discuter avec le premier médecin, M. Treillaux, qui se trouvait par là, notre idée... ou plutôt... » Il baissa la voix : « Vous savez. La peste froide. Maintenant, je viens vous chercher. Nous dînerons ensemble au Prieuré, dans une petite salle. M. Treillaux, j'espère, pourra se joindre à nous ; ainsi que M. Guèbe, mon sous-intendant.

— Mais l'on m'a fait dire par mon valet que l'on m'apporterait mon dîner ici.

— Qu'-à cela ne tienne !

— Et M. de Sarolière compte sur moi.

— Je vais le prévenir. » Il héla plusieurs fois M. de Sarolière. Le vieux gentilhomme parut à la fenêtre et reçut la nouvelle. Il en sembla un peu attristé.

— Prenez le cheval de mon valet » dit le gouverneur. « Ce garçon peut très bien faire le retour
à pied.

En quittant le pavillon vers le nord, on apercevait, au bout d'une longue prairie, le gros de
l'agglomération : les maisonnettes de la Demilune, à toits aigus, se déployant en face du Prieuré, qui offrait en raccourci sa vaste toiture à pente
plus calme, et son campanile de fer. Les maisonnettes de la Demi-lune devaient en cacher
d'autres, d'où sortait la pointe d'un petit clocher.
Du même côté, sur tout le flanc gauche de la
prairie, s'allongeait un bocage peu serré, dont
on appréciait mal la profondeur. Il était bordé
d'une ligne de grands arbres, et laissait apparaître, à sa lisière même, trois ou quatre petites
toitures très distantes l'une de l'autre. Au pied
de ces arbres, et à proximité des habitations,
passait une allée cavalière qui, un peu avant d'arriver à la hauteur du pavillon, se détachait des
bois pour venir le joindre par une courbe. De
l'autre côté, sur la droite, la longue prairie confinait à des champs. Ils appartenaient à cette
région découverte qu'on avait traversée en venant
de l'hospice. La séparation de la prairie et des
champs se marquait par un rang de peupliers très
écartés et très élancés qui n'arrêtaient pas la vue.

Au lieu de suivre la courbe de l'allée, on coupa
directement à travers la prairie.

— Rien de nouveau du côté du moulin ? »
demanda Ruchard ?

— Non. Je suis passé à la tour carrée. Pas de
fumée encore. Nous y retournerons après le
dîner, si vous voulez bien.

— Piquereau, mon valet, m'a dit qu'il avait
aperçu du remue-ménage. Lui n'a pas bavardé,
j'en suis sûr. S'il y a un commencement de panique, je ne voudrais pas qu'on nous accusât.

Le gouverneur sourit :

— Sauf erreur, il ne s'agit pas d'un commencement de panique. Ce semblant de remue-ménage
répond à de premiers essais que nous faisons.

Il reprit :

— Vous aviez lié connaissance avec M. de
Sarolière ? Quel homme délicieux, n'est-ce pas ?
Il vous a parlé de ses travaux ?

— Non. Il m'a fait parler de moi. Il m'a parlé
un peu du comte de Juzennes.

— Ah ! il vous a dit comment M. de Juzennes
avait fondé ce lieu ?

— Qu'il l'avait fondé, oui ; mais comment et
pourquoi, non. Il m'a cité tout au plus une inscription de cadran solaire. J'ai de quoi méditer,
et conjecturer.

— Ah ! ah ! L'inscription, que vous retrouverez
au fronton de la bibliothèque... Elle est belle,
n'est-ce pas ?

— Pour moi, elle est surtout encore mysté-
rieuse.

— Ne cherchez pas trop de mystère » dit gaîment M. de Bron. « Autrement vous serez déçu.
L'idée de mon ami Juzennes était au fond si
naturelle, que je m'étonne que vingt autres n'en
aient point tenté l'épreuve. Peut-être l'ont-ils fait,
d'ailleurs. Nous-mêmes, qui se doute que nous
existions ? hors nos amis du moulin. Je parle de
ce côté-ci, bien entendu, celui du Prieuré. Car
l'hospice est connu comme le loup blanc, et, qui
plus est, depuis des siècles. C'est même dans
l'ombre de cette célébrité qu'il nous a été plus
facile de blottir cet endroit-ci. » Il rit. « Le seul
mérite de votre serviteur, dans l'affaire, est de
s'être laissé convertir au projet, alors qu'il aurait
pu le combattre.

Ils arrivaient au voisinage des bâtiments. La
façade du Prieuré montrait en perspective son
rez-de-chaussée et son premier étage, chacun avec
une dizaine d'assez hautes baies, son second étage
aux fenêtres plus basses, son ample perron à
balustrades. L'aspect de l'ensemble se tenait entre
la demeure seigneuriale et le corps principal
d'une riche abbaye. Le caractère en était bien de
France, sinon spécialement de Bourgogne. Mais
les petites habitations d'en face, rangées en demi-
cercle, n'en paraissaient que plus singulières. Le
dessin des pignons, la forme et l'encadrement

des fenêtres, l'alliance de la pierre à la brique
faisaient penser aux maisons du Nord, dont les
gens de Bourgogne avaient à vrai dire une idée,
d'après quelques imitations qui chez eux en
avaient été faites, mais dont ils ne ressentaient
pas moins l'étrangeté.

— Ce que nous appelons le Prieuré » dit le
gouverneur, « et qui n'a d'ailleurs jamais été un
Prieuré — le nom vient, je crois, du campanile
— date d'avant le comte de Juzennes. Il l'a seulement restauré et embelli. Mais le reste, c'est lui
qui l'a fait bâtir. Il avait pour ami un architecte
qui avait longtemps vécu dans les Flandres... qui
était aussi mon ami. Quand il lui eut expliqué
ce qu'il voulait fonder en cet endroit, l'architecte
lui dit : « Ce qui se rapproche le plus de votre
idée, c'est un béguinage. » Vous connaissez le
mot, n'est-ce pas ?

— J'ai même un soupçon de la chose » dit Ruchard. « Il y a peu d'usages des Flandres dont
au moins la renommée ne soit pas descendue jusqu'ici. Même n'ai-je pas entendu dire qu'on avait
fait quelque part en Bourgogne une imitation de
béguinage, au temps des ducs ?

— Peut-être. Le comte s'écria d'abord qu'il
voulait de tout sauf d'un couvent. Mais l'architecte lui remontra qu'un béguinage est tout autre
chose ; et qu'au surplus on pouvait prendre aux
béguines une idée de maison sans pour cela copier

leur genre de vie. Bref, ils se mirent d'accord. Et
un peu aussi par amusement, je crois, l'architecte
fit les petites maisons que vous voyez, en pensant
aux maisons de béguines qu'il avait faites autrefois... Mais tenez : la deuxième de ce côté-ci a
une fenêtre du bas qui est ouverte. Nous allons
passer auprès, sans avoir l'air d'y mettre une
intention. Vous pourrez jeter discrètement un
coup d'œil sur l'intérieur.

Au lieu de se diriger vers le Prieuré, ils tra-
versèrent donc la place herbeuse comme s'ils
avaient quelque chose à voir d'abord dans le bois.
Ils passèrent dans l'intervalle de deux maisons,
où s'amorçait un chemin. Ruchard, en tournant
un peu la tête, put voir l'intérieur d'une pièce au
rez-de-chaussée. Le soleil y pénétrait. Trois femmes, assises sur de hauts tabourets, travaillaient
à des métiers verticaux de tapisserie. Elles étaient
jeunes encore, fines, vêtues simplement mais en
femmes de qualité. Ruchard n'eut que le temps
d'apercevoir le geste des bras, à la fois différent
et semblable, comme celui de joueuses de harpe.
Il en reçut une soudaine exaltation.

Le gouverneur ne fit aucune remarque. Ils
n'avancèrent que de quelques pas sur le chemin,
le virent continuer dans le bocage entre deux
autres pavillons et contourner une petite chapelle.
Pour revenir, ils passèrent entre deux autres des
maisonnettes de la Demi-lune. Plusieurs person-

nes étaient maintenant sur la place et paraissaient
se promener tout en causant. Entre elles et le
gouverneur il y eut un échange de saluts.

— Deux de ces dames, les dernières, que nous
venons de croiser » dit le gouverneur, « sont
parmi nos plaies d'Egypte.

— Comment cela ?

— Elles ont le génie de la doléance, outre celui
de la conspiration. Si un peu d'harmonie subsiste
encore entre nous, ce n'est assurément pas de leur
faute. Je regrette que les Impériaux ne procèdent
pas comme les Barbaresques à des enlèvements.
Nous aurions pu nous arranger. Mais ne parlons
plus de cela.

Ils laissèrent leurs chevaux aux mains de serviteurs, gravirent le perron, entrèrent dans le
vestibule, au fond duquel se développait un escalier de pierre à double révolution.

— Pendant qu'on prépare notre table » dit le
gouverneur, « je vais vous montrer une autre
chose.

Il entraîna son compagnon dans un couloir qui
se détachait du vestibule sous le rampant gauche
de l'escalier. Quand ils y furent engagés, ils
entendirent, venant du fond, une musique, et un
bruit de piétinement. Le son augmentait à mesure
de leur avance. On croyait reconnaître le violon
ou la viole. Le piétinement était tantôt confus,
tantôt cadencé.

Ils poussèrent une porte, et reçurent comme en plein visage le bruit qui était devenu très fort et très proche. Des voix s'y mêlaient. Cependant ils se trouvaient seuls dans une pièce oblongue. Deux tapisseries tombant du plafond, et dont les bords chevauchaient, la fermaient à gauche, du côté d'où jaillissait le bruit.

Le gouverneur mit un doigt sur ses lèvres, puis écarta très légèrement les deux tapisseries. Il glissa l'œil par la fente. Puis il fit signe à Ruchard de s'approcher et de regarder à son tour, avec précaution.

Dans une grande pièce d'angle, à nombreuses fenêtres, éclairée par la lumière d'un début d'après-midi, une douzaine d'hommes et de femmes se mouvaient, faisaient des pas et des gestes, s'arrêtaient, s'inclinaient, glissaient, aux sons d'instruments à cordes. Parfois ils prononçaient une phrase, sur une cadence étudiée, ou échangeaient tout un bout de dialogue. Trois ou quatre étaient jeunes. Les autres d'âge plus mûr. Un d'eux ressemblait fort, sous une différence de costume, à l'un des habitués du moulin, que Ruchard avait eu l'occasion de servir dans la grande salle. Quant aux femmes, deux d'entre elles faisaient valoir avec adresse le genre de beauté pour lequel on inventa le mot de frimousse. Il y avait encore un vieil homme qui, lui, se faisait remarquer par l'aspect de son visage

et l'exagération plaisante de ses mouvements.
Bien qu'ils eussent des vêtements ordinaires, il
était clair qu'ils jouaient des rôles, et que leurs
pas composaient une action. Les musiciens, qui
étaient quatre, obéissaient à l'un d'eux qui se
tenait en avant de leur groupe et paraissait diriger toute la cérémonie. D'un geste de la main,
que prolongeait son archet, il faisait signe qu'on
s'arrêtât. Il donnait alors des explications d'une
voix très gaie, étrangère d'accent, presque
zézayante. Puis d'un coup d'archet plein de
flamme il déchaînait à nouveau la musique et les
mouvements repartaient.

Tout ce monde était trop occupé pour apercevoir que les tapisseries s'étaient disjointes. Et
justement ce qui frappa Ruchard plus que n'importe quel détail, au point de lui décontenancer
et de lui enivrer l'esprit, ce fut l'affairement délicieux dont la salle regorgeait ; et aussi, enlacées
étroitement, la grâce, l'insouciance, l'invraisemblance de tout cela.

XVI

— Bien étonnant, monsieur le gouverneur, ce que vous venez de me faire voir.

— N'est-ce pas ? » répondit le gouverneur assez distraitement. Et il s'effaçait devant son hôte en l'invitant à pénétrer dans une pièce oblongue, garnie de boiseries sombres et d'une longue table sculptée, sur une partie de laquelle le couvert était mis.

Il ajouta, comme pour lui-même, et du ton d'un homme qu'une autre pensée préoccupe :

— Ce Barbieri est un magicien.

Puis :

— Asseyons-nous. Je pense que M. Treillaux et M. Guèbe vont arriver. Nous ne serons que tous les quatre.

Il n'y avait en effet que quatre couverts, qui occupaient l'angle de la table le plus éloigné de la porte.

Ils s'assirent sur le banc adossé à la muraille boisée. La couleur et le poli de ce bois étaient plaisants à voir.

Ruchard demanda :

— Mlle de Meyrueis dîne sans doute avec les dames chez qui elle loge ?

— Vous auriez voulu l'avoir avec nous ? C'est que...

— Que non pas ! Ma question était de pure curiosité.

— Oui, je pense qu'elle dîne avec ces dames.

MM. Guèbe et Treillaux entrèrent. Le gouverneur fit les présentations, puis déclara :

— Je considère comme une coïncidence heureuse que M. Ruchard soit parmi nous en ce moment. Il est trop modeste pour en convenir. Mais ses avis peuvent nous être bien utiles.

Il dit à M. Treillaux :

— Vous avez réfléchi ?

— Il est certain qu'il y a quelque chose à tirer de cette idée-là » dit Treillaux qui était un petit homme rond. « Rien que le nom est capable de tenir les gens à distance. Et s'ils s'obstinent à y regarder de plus près, il y a peu de maladies qu'il soit aussi facile de simuler, à cause précisément de l'absence de fièvre. Mais il nous faut bien entendu des sujets tout à fait dociles.

Le gouverneur se tourna vers Ruchard :

— Comme vous l'avez deviné, il s'agit de notre fameuse peste froide, et de l'usage à en faire pour la circonstance.

— Le moyen est-il nouveau pour vous ? » demanda Ruchard.

— Oui et non » dit M. Guèbe.

— Observons » dit le gouverneur, « que l'existence même de cette maison-ci emprunte déjà à
la même idée.

— Au prix d'un peu de complaisance dans le
rapprochement » dit M. Guèbe, qui était un
homme de corpulence moyenne et d'une grande
froideur de visage.

— Je ne trouve pas. » Le gouverneur prit
Ruchard à témoin : « Mettre un endroit comme
celui-ci à l'abri d'un hospice, dans l'ombre d'un
hospice, n'était-ce pas déjà au fond la même
idée ?

— C'est en tout cas à votre voisin d'habitation,
M. de Sarolière, qu'en revient le mérite » dit le
médecin à Ruchard.

— Pardon ! » dit M. Guèbe, « le point de vue
était tout différent. Ce dont M. de Sarolière
entendait faire profiter ce lieu-ci, c'était de la
renommée séculaire de l'hospice là-bas, de la
vénération qui l'entourait, de son caractère quasi
sacré. Il ne pensait pas spécialement à l'effroi des
maladies.

— Pourtant rappelez-vous son apologue de la
chenille.

— Quel est cet apologue de la chenille ? »
demanda Ruchard.

— Eh bien ! vous avez déjà vu dans les bois
des chenilles qui ont la forme d'une brindille

morte, et qui, lorsqu'il y a péril, restent là sans bouger, tout le temps qu'il faut. « Notre défense à nous » disait ce jour-là M. de Sarolière, « ne peut être que du même genre. Faire de soi extérieurement quelque chose à quoi l'ennemi qui passe n'a pas envie de toucher. Un oiseau n'est pas mis en appétit par l'aspect d'une brindille morte. De même, s'il croit apercevoir au loin une collection de malades et de moribons, le pillard le plus résolu n'a pas envie de s'approcher. »

— Il faut vous dire » interrompit le gouverneur, « que M. de Sarolière est à la fois notre Esope et notre Tyrtée. Dans les grands moments, il nous exhorte, ou nous sermonne. Moi, je suis un pauvre orateur. Je sens les choses. Je les exprime sans force. Lui remplit ce rôle, si utile dans une communauté, de vous rappeler avec éloquence ce pourquoi on existe, ce qu'on est, le prix de votre existence, le miracle de votre existence, oui, le miracle... C'est une de ses idées les plus chères.

— Il m'en a déjà touché un mot » interrompit Ruchard.

— A ce point qu'il insistait pour que nous fissions poser, à l'autre fronton de la bibliothèque — car elle a deux portes et deux frontons — une seconde inscription, qui eût signifié, en latin de la bonne époque : « Souvenez-vous soir et matin que vous êtes un miracle. Souvenez-vous qu'un pareil miracle ne naît pas sans d'insolentes rencontres, et que tout l'effort des choses autour de lui, à tout moment, est de le faire disparaître. » J'ai retenu assez bien ce texte parce que, figurez-vous, nous avions longuement débattu, M. de Sarolière et moi, s'il convenait de le rédiger en français ou en latin. En latin, disions-nous, il aura plus de majesté, et fera mieux pendant à l'autre. En français, il sera compris par les dames. Et M. de Sarolière était si persuadé que notre péril d'aveuglement et d'ingratitude envers notre destin venait du côté des dames, que sa vieille préférence pour le latin était prête à céder.

— Mais en définitive vous n'avez choisi ni l'un ni l'autre ?

— Pour une bien petite raison. Le fronton de cette porte-là, tel qu'il existait, eût manqué de surface. Il eût fallu le démolir et le rétablir. Et outre qu'il avait été récemment refait à neuf, il semblait difficile de l'agrandir sans compromettre toute l'ordonnance de cette décoration, qui est assez belle, vous verrez.

Des serviteurs avaient apporté plusieurs plats de viandes, et des brocs de vin, cerclés d'argent.

— Vous avez parlé de « grands moments ». Vous avez eu des alertes, avant celle-ci ?

— Oui, mais qui étaient bien anodines, en comparaison » dit M. Guèbe. « Parfois une petite poignée d'aventuriers se présentait à la grande porte. Il s'agissait de les satisfaire aux moindres frais, et d'éviter que leur curiosité ne s'égarât. Jamais nous n'avons eu à faire front à une attaque en nombre, ni préméditée, ni qui parût s'appuyer sur des renseignements précis.

— Et vous n'avez pas eu non plus à mettre vraiment à l'épreuve un système de défense analogue à celui auquel, cette fois, vous songez ?

— Entendons-nous » dit le médecin. « L'horreur des maladies n'a cessé de jouer, plus ou moins, en chaque cas où nous avons eu à écarter des visiteurs importuns. Quand nous eûmes affaire à ces petites bandes dont parlait M. Guèbe, vous pensez bien que nous ne nous sommes pas privés d'allusions aux épouvantes et aux pourritures que nous hébergions.

— En avez-vous simulé de surcroît ?

— Une ou deux fois, mais bien modestement, et dans des circonstances qui n'étaient pas du même ordre. Des bruits s'étaient répandus. Des gens de Dijon, qui avaient autorité pour s'intéresser à l'hospice, voulaient savoir s'il était vrai que vécussent ici des personnes qui par leur état de santé n'y avaient aucun droit. Mais ces gens de Dijon n'avaient pas d'intentions hostiles, et ne demandaient qu'à recevoir des apaisements. Nous eûmes tôt fait d'abord de leur prouver, ce qui était pour eux le plus important, et ce qui au reste était vrai, que pas un sou des revenus de

l'hospice ne passait à l'entretien desdites personnes ; ensuite nous leur assurâmes que ces personnes, qui, étant de condition aisée, faisaient
tous les frais de leur séjour, étaient réellement
malades, ou convalescentes, donc méritaient qu'on
ne vînt pas troubler le repos qu'elles cherchaient
ici. Et pour que nos inspecteurs pussent faire en
bonne conscience un rapport favorable, nous les
priâmes de jeter un coup d'œil sur une des salles
de ce même Prieuré-ci, où nous avions installé
quelques faux malades. Je dois dire que le coup
d'œil fut de pure forme.

— Ils ne se sont pas étonnés que ces malades
privilégiés fussent logés aussi loin des autres ?

— Non. L'explication était si naturelle. L'on se
doute bien que pour des personnes de condition
un hospice ouvert aux gens du commun est quelque chose d'horrible, non seulement pour ce qui
serait d'y séjourner, mais encore à l'avoir comme
proche voisin. Il était déjà à peine croyable que
de telles personnes eussent accepté de vivre si
près de l'hospice, dans l'enceinte des mêmes
murailles, sans y être poussées par des raisons très
fortes. Et comme les vraies raisons n'étaient pas
de celles qui sautent aux yeux, quelle raison plus
parlante qu'une grave maladie ?... Notez-le, d'ailleurs, il ne manque pas de nos hôtes, surtout
parmi les femmes, qui souffrent de ce voisinage,
et à qui il nous faut rappeler presque chaque jour
de quoi il est la rançon.

Ruchard faillit faire observer qu'il se représentait encore très mal ce qu'étaient les dites personnes, d'où elles venaient, ce qu'elles avaient cherché en se réunissant dans ce lieu, ce qu'elles y trouvaient. Mais il se retint.

— En somme » dit-il, « si je comprends bien vous n'avez pas de précédents sur quoi vous régler ?

— Les véritables précédents, s'il y en a » dit en riant le gouverneur, « c'est à Barbieri qu'il faut les demander.

— Comment cela ? » demanda M. Guèbe.

— Vous venez de voir » dit le gouverneur en se tournant vers Ruchard, « de quoi il est capable ? » Il dit aux autres : « Vous savez, la répétition du ballet de Barbieri ? J'ai mené M. Ruchard dans la petite salle d'à côté. Sans nous montrer, nous avons glissé un œil dans la fente de la tapisserie.

— J'en suis resté, ma foi, tout plein d'admiration.

— Eh bien ! mon avis est que M. Treillaux et M. Barbieri doivent travailler ensemble. Et aussi M. Merilhac, notre second médecin. Sans oublier, naturellement, nos deux apothicaires qui ont, je suppose, leur mot à dire. C'est à eux tous de nous arranger un spectacle de peste froide à faire reculer toute une armée de lansquenets.

XVII

Ils se séparèrent à la fin du repas. M. Treillaux se chargea de voir aussitôt son confrère Merilhac, et Barbieri, et de commencer avec eux un premier débrouillement du projet. Le sous-intendant fut prié d'aller mettre au courant M. de Sarolière.

— Il est de bon conseil » dit le gouverneur. « Je n'aimerais pas me lancer dans cette aventure s'il la condamnait d'avance. De plus nous aurons peut-être besoin de lui, quand le moment viendra de haranguer notre monde. Oui, ces choses ne seront bien faites que si chacun y croit, et se les explique... Vous, monsieur Ruchard, je vous emmène à la tour carrée. Prenons nos chevaux.

* * *

Cheminant à travers la pelouse, ils aperçurent quelqu'un allongé sur l'herbe, à l'ombre d'un arbre. C'était Jeanne de Meyrueis. Elle regardait le sol, appuyée sur ses coudes, et jouait avec des brins d'herbe.

— Je vais lui dire un mot. Ne vous arrêtez pas. Je vous rattrape. Est-ce qu'il n'y a qu'à suivre ce sentier dans la prairie pour aller à la tour ?

— Oui. Mais au bout de la prairie, là où finit le bois, vous appuyez à gauche. D'ailleurs de cet endroit vous apercevrez la tour.

Ruchard se dirigea donc du côté de la jeune fille.

Elle tourna un peu la tête vers lui, et dit :

— Vous voilà !

Il sauta de cheval.

— Mais oui... je me suis enquis de vous plusieurs fois. On m'a dit que vous logiez dans une de ces maisons.

— Oui, la seconde là-bas, derrière... » Elle fit un geste.

— Vous y êtes bien ?

— Oh ! pour l'instant, oui.

— J'accompagne le gouverneur jusqu'à la tour carrée. L'on attend des signaux de Cornaboux. Il se peut que la bande soit déjà au moulin. Il se peut même qu'ils essayent de monter ici.

— Eux, que vont-ils faire ?

— Qui ? les gens d'ici ?

— Oui. Le gouverneur a-t-il l'intention de se défendre ?

— Se défendre... c'est-à-dire... à quel genre de défense pensez-vous ?

— Se battrons-ils ?

— Je ne vois guère qu'ils en aient les moyens.

— Oh ! ils sont nombreux. Ne parlons pas des

femmes. Il y a beaucoup d'hommes. Ils doivent bien avoir des armes quelque part. Ils ont un très bon mur.

— Je ne les imagine pourtant pas résistant à un assaut par la force.

— Oh ! moi non plus ! » Elle ricana. Ses yeux bleus eurent un éclat de leur lumière étonnante.

— Pourquoi riez-vous ?

Elle ne répondit pas tout de suite. Puis :

— Je n'aime pas la vie qu'on mène ici... qu'on semble mener ici... ni les gens.

— Que leur reprochez-vous ?

Elle eut un mouvement des épaules :

— D'être ce qu'ils sont. De prendre les choses comme ils les prennent. » Elle se tut ; puis : « Vous n'avez pas vu ce divertissement qu'ils préparent ?

— Si... mais... vous-même l'avez vu ?

— On m'en a surtout parlé. On m'y a laissé jeter un regard.

— Tiens ! Et alors ?

— Que penser de gens qui, en ce moment, s'occupent à de pareilles futilités ?

Il sourit :

— Je ne suis pas sûr, mademoiselle, que l'existence que vous avez eue vous ait conduite à une idée de la vie qui soit très satisfaisante.

Elle ne riait plus. Elle le regardait avec une sorte de farouche étonnement.

— Laissons cela » poursuivit-il. « Ces gens, dans la circonstance, que voulez-vous qu'ils fassent ?

— J'ai tenu plus d'une fois une ferme isolée contre une centaine de soldats, avec une poignée de compagnons.

— Et cela vous a menée en définitive à fuir toute seule sur les routes, et à demander asile à un meunier... Nous autres, vaincus et fugitifs, mademoiselle, nous n'avons pas bonne grâce à être trop sévères.

* * *

La tour carrée occupait un angle de la muraille, situé lui-même dans une éclaircie des bois. Elle avait au moins quarante pieds de haut. Deux formes d'hommes se montraient au sommet.

Une troisième parut bientôt, s'approcha du rebord :

— Montez. L'on n'aperçoit encore rien. Mais cela vous intéressera de toute façon. Et je me demande même si... Attachez votre cheval à côté du mien...

Tout l'intérieur de la tour, jusqu'à la plate-forme supérieure, était un espace vide, éclairé par des meurtrières. Un escalier de pierre, à rampe de fer, grimpait, accroché à la paroi, en surplomb, passant, à chaque palier, d'un mur à l'autre.

— Regardez » dit le gouverneur à Ruchard
quand il fut sur la plate-forme. « Cette échappée,
droit devant nous. Et ces deux grands arbres tout
au fond. C'est là que se trouve le moulin. Et c'est
à peu près entre les deux grands arbres que nous
verrions s'élever la fumée. J'en étais justement
à me demander s'il n'y avait pas un petit commencement de quelque chose. Hein ? Qu'en
pensez-vous ?

— L'on dirait bien que...

En effet l'air semblait s'épaissir, se troubler,
entre la cime des deux arbres. Mais il ne se forma
rien qu'on pût prendre, même avec de la complaisance, pour une fumée distincte. Et au bout
de quelques minutes le tremblement lui-même de
l'air cessa.

Ils attendirent un long moment sans que rien
de nouveau se produisît.

— Je serai plus utile ailleurs qu'ici » dit M.
de Bron. Il recommanda aux deux guetteurs une
extrême vigilance. Dès qu'une fumée s'élèverait
avec quelque persistance, l'un d'eux devait venir
aussitôt donner l'alarme au Prieuré.

— Je serai là, ou dans le voisinage. L'on saura
toujours où me trouver.

Ils reprirent leurs chevaux et firent le chemin
du retour. Ruchard était prêt à galoper. Mais le
gouverneur maintint l'allure à un petit trot.

Ruchard, sans lui rapporter en détail la conversation qu'il avait eue avec Jeanne, lui en donna
l'essentiel. Le gouverneur se contenta de dire :

— Nous n'allons pas la retenir de force.

Ils virent la jeune fille à la même place, près
de son arbre. Ruchard n'avait pas, cette fois,
l'intention de s'arrêter. Ce fut le gouverneur qui,
de lui-même, fit le crochet.

— Mademoiselle » dit-il sans descendre de
cheval, « je me suis interrogé sur votre cas depuis
ce matin. Il est clair que le repos que nous sommes heureux de vous offrir risque d'être peu
durable.

Elle se mit debout, écouta, gardant la tête
baissée, faisant tourner un brin d'herbe entre ses
doigts.

— Les Impériaux » continua-t-il, « seront peut-
être bientôt ici. Je ne sais si vous avez plus ou
moins que nous raison de les craindre. Au cas
où vous aimeriez mieux ne pas les attendre, je
crois qu'il serait encore temps de vous échapper
par le nord. Je vous ferais montrer le chemin. »
Il se tourna vers Ruchard, et dit en riant : « Bien
entendu l'offre vaut aussi pour vous. Je ne voudrais pas vous inclure de force dans nos disgrâces.
Les vôtres vous suffisent.

— La question ne se pose pas pour moi » dit
Ruchard. « Vous m'avez accueilli très généreuse-
ment. Je partagerai votre sort quoi qu'il arrive.

— Et moi » fit Jeanne de Meyrueis avec un flamboiement bleu du regard, « me prenez-vous pour une fuyarde par vocation ? Tout ce que je demande est de me battre à vos côtés.

— Hélas ! » dit le gouverneur, « la bataille ne sera pas bien glorieuse.

— J'ai mes deux pistolets. Vous avez sûrement des armes, ici ou là. J'ai aperçu depuis ce matin je ne sais combien de messieurs qui sont sûrement des gentilshommes. A d'autres aussi on peut donner un pistolet, une arquebuse, une pique. Nos troupes dans la montagne étaient souvent faites de paysans, dont beaucoup n'avaient jamais tiré un coup de feu.

— Notre situation n'est peut-être pas aussi simple, mademoiselle. Enfin, je me réjouis que nous puissions compter sur vous. D'une façon ou de l'autre, vous aurez l'occasion de nous aider.

Ils repartirent.

— C'est une étrange fille ! » dit le gouverneur.

Devant le Prieuré, il déclara de sa voix ronde :

— Pour l'instant, le mieux que vous ayez à faire est de vous reposer un peu dans votre logis. Je vais voir à quoi de pratique ont abouti ces messieurs. Il s'agit maintenant d'aller vite. Dès que le projet aura pris tournure, ou que nous aurons besoin de vous, l'on vous préviendra. Le cheval ? Gardez-le. Attachez-le près de votre porte. Mieux vaut que vous l'ayez sous la main.

XVIII

M. de Sarolière qui, de derrière sa fenêtre, avait vu arriver Ruchard, passa la tête au dehors, et cria :

— Montez un peu, si vous avez une minute.

Il l'accueillit sur le pas de sa porte.

— Entrez dans mon capharnaüm.

Il l'introduisit dans une petite pièce tout à fait semblable de forme à la plus grande du rez-de-chaussée. Les fenêtres et la cheminée occupaient la même place. Le meuble principal était une table très longue, encombrée de livres et de papiers. D'autres empilements de livres couvraient des bahuts. Des livres et des papiers en tas s'appuyaient même sur le sol et contre les murs. Derrière la table, il y avait une chaise spacieuse, à dossier et à bras ; ailleurs, deux ou trois chaises plus petites. Une béquille et une canne occupaient l'angle d'un bahut et du mur, près de la porte.

— Asseyez-vous. Je garde égoïstement ma grande chaise ; à cause de ma jambe.

Lui-même s'installa, allongeant sa jambe em-
maillotée.

— Quoi de neuf ?

Ruchard le mit au fait, en quelques mots.

— Quant au projet de défense par la peste
froide, je ne vous en parle pas, puisque M. Guèbe
a déjà dû vous en entretenir.

— Oui... Il était ici il n'y a pas un quart
d'heure. » M. de Sarolière continua gaîment :
« Vous avez assisté, paraît-il, au travail de Barbieri ? Quel habile homme ! C'est un Mantouan.
Il a fait partie là-bas, jadis, de la première troupe
qui ait réussi à faire revivre l'art de jouer la
comédie à la manière des anciens. Depuis, il
s'était plus ou moins réfugié à Lyon. C'est là que
le comte de Juzennes l'a trouvé, oh ! un an à
peine avant de mourir. Mais Juzennes n'y aurait
pas songé, sans les voyages qu'il avait faits en
Italie, et les relations avec des Italiens de Lyon
que depuis il avait conservées. Bref, il vous a
plu ?

— Lui, je l'ai entrevu à peine. C'est le fruit
de ses leçons qui m'a émerveillé.

— Que vaudront-elles, quand il s'agira de com-
poser un tableau de peste tout à fait convain-
cant ? » Il parcourut des yeux son entourage de
papiers et de livres. « Personne ne souhaite plus
que moi qu'il réussisse. Ces pendards d'Allemagne ne doivent pas être bien subtils. Il n'est pas

fou, évidemment, d'espérer qu'ils donnent dans le panneau. Si je pouvais terminer ce que j'ai en train ! Au moins finir le morceau où j'en suis ! J'ai entrepris une traduction complète de Lucien de Samosate. Le nom vous dit quelque chose ?

— Oui, assurément. C'est un auteur païen, n'est-ce pas, d'une des dernières époques ? Est-ce qu'il ne s'est pas moqué des chrétiens ?

— Il s'est moqué des dieux et des religions en général. Il avait surtout horreur des fanatiques. Oh ! il n'était pas fait pour les gens de cette époque-ci. Il y a beau temps qu'ils l'auraient brûlé ou pendu. Mais du grec, vieux de quatorze siècles, paraît inoffensif, même en traduction. Qui lira cela ? Une poignée d'érudits. N'empêche que cela pourra faire du bien, purger au moins quelques cervelles. J'en suis aux deux dernières pages de l'*Histoire véritable*. Une pensée affolante, cher monsieur, est de constater que **tant** de choses raisonnables ont été dites, avec la **verve** la plus persuasive, voici quatorze siècles ; et que tout continue à se passer comme si elles n'avaient jamais été dites.

Il reprit :

— Pensez-vous que ces huguenots d'Allemagne en veuillent spécialement à Lucien de Samosate ? Ils ne doivent pas le connaître. Je leur raconterai au besoin que c'est un des textes de l'Écriture

interdits par l'Eglise romaine, et que je le traduis
pour ennuyer le pape.

Ruchard demanda :

— Y a-t-il d'autres gens, ici, qui se livrent à
des études du genre des vôtres ?

M. de Sarolière eut un geste de mépris cordial :

— Rien de sérieux. D'abord, à l'heure qu'il
est, personne ne sait le grec. » Il changea de ton :
« Donc, ils ont parlé devant vous de cette idée
de peste froide ? Quel est votre avis ?

— J'hésite à en avoir un. Je ne suis pas médecin, ni habitué au spectacle des maladies. Je ne
sais pas non plus si ces Impériaux sont faciles à
tromper. Ont-ils un médecin avec eux ? Je reconnais d'autre part que vous n'avez guère le choix.

— Entre les genres de défense ? C'est malheu-
reusement vrai.

Il renifla, changea la position de sa jambe,
parut méditer.

— Je crains surtout que nos amis ne s'en tirent
pas très bien.

— Que voulez-vous dire ?

— Oui, qu'ils ne veuillent en faire trop ; les
dames en particulier. Que cela ne tourne à la
mascarade. Ces Impériaux sont des buses, je n'en
doute pas. Mais s'ils s'aperçoivent qu'on se
moque d'eux, ils seront bien plus intraitables
qu'avant.

— Que proposeriez-vous à la place ?

— D'éviter qu'ils n'entrent par tous les moyens qui se pourraient. Par exemple, je leur aurais envoyé un soi-disant guide. Mon guide les aurait amenés du côté de l'hospice. Là on aurait tenu prêts d'avance des cadeaux de vivres, même d'argent pour les chefs. Bien entendu, au cours de la conversation, rien n'interdisait d'évoquer à voix couverte les terribles maladies dont la maison est pleine. Ce que je redoute, encore une fois, c'est un carnaval. Je connais mes gens.

Ruchard en profita pour essayer d'obtenir un peu plus de lumières sur les « gens », dont il avait saisi au passage quelques traits, mais dont il continuait à ne pas savoir grand'chose. Mais comme il ne voulait pas se donner l'air de poser des questions trop directes, il n'eut aussi que des renseignements de raccroc. M. de Sarolière, peut-être par distraction, ne semblait pas supposer que Ruchard ne fût pas encore au fait de l'essentiel. Il se bornait à répondre par des allusions à ce qu'il prenait pour des allusions ; ou encore il s'en tenait à de ces commentaires qui n'acquièrent tout leur sens qu'à propos d'une situation déjà connue.

Il disait par exemple :

— Une maison qui vit sous une règle est bien plus commode à manier. J'ajoute : bien plus commode à maintenir dans la paix du cœur. Nos gens

s'occupent, c'est vrai. Quelques-uns même, jusque parmi les femmes, s'astreignent à des beso-
gnes pénibles, ou rebutantes. Mais ils n'oublient
pas assez que l'obligation ne vient que d'eux. Ils
n'en tirent pas l'apaisement d'esprit qu'il faudrait.

Ou encore :

— Vous avez touché à la question de leurs ori-
gines. Certes, il n'y en a pas un seul, ni une seule,
qui n'ait traversé, à un moment ou à l'autre, de
dures épreuves. Sans cela ils ne seraient pas ici.
Ceux qui, comme moi, ont choisi cette vie par une
décision tout à fait libre, oui, parce que le reste
leur faisait horreur, ou les eût contraints non à
une comédie d'un jour mais à de perpétuelles
simagrées, se comptent sur les doigts d'une seule
main... et il y a des doigts de trop. Pour presque
tous, donc, c'est un refuge, au sortir de tempêtes
parfois épouvantables, et un refuge qu'ils
n'avaient jamais espéré. Mais ils ne s'en souvien-
nent plus. Je vous le disais ce matin: quelques-
uns, surtout quelques-unes, ont l'audace de s'ennuyer. Oui. Ils regrettent l'agitation du monde.
Comme si l'agitation du monde n'avait pas été
pour eux un étouffement de périls sous lequel ils
ont crié grâce ! C'est à crever de rire. J'ai envie
de leur déclarer parfois : Mais retournez-y donc !
Qui vous retient ?

Il dit aussi :

— Un autre inconvénient est que presque tous avaient de la fortune, en ont encore, tout au moins se persuadent qu'ils ne sont pas à la charge de la communauté. Oh ! M. Guèbe aurait peut-être à dire là-dessus. La vérité, cela oui, c'est que le Prieuré ne coûte pas un liard à l'hospice, bien au contraire. L'hospice est très riche, d'ailleurs. Pour ce qui est des gens de ce côté-ci, les comptes entre eux ne sont pas des plus stricts. Moi, par exemple, j'abandonne à la maison tout mon revenu. Ma dépense n'est pas bien grande. Il se peut fort bien que telle de nos jolies dames, de celles qui se plaignent le plus volontiers, doive certaines douceurs, certains agréments, au super-flu de ma bourse. » Il éclata de rire : « Et ne vous imaginez pas que je rattrape cela par quel-que paiement en nature.

Cette plaisanterie permit à Ruchard de deman-der si le voisinage de ces hommes et de ces femmes, dont plusieurs semblaient encore jeunes, ne créait pas d'embarras.

— Ce n'est pas encore trop affreux ! » répondit gaîment M. de Sarolière. « C'est peut-être que je n'ai pas beaucoup d'occasions d'espionner, ni beaucoup de zèle à recueillir les potins. Mais si incroyable que cela paraisse, tout se passe avec une grande économie de scandales. Il faut admet-tre que ces dames sont bien vertueuses, ou bien habiles. » Il rit de nouveau : « A moins qu'il n'y

ait là une explication de ces attaques d'ennui dont
je parlais. Oui. Le génie du lieu a peut-être réussi
à faire régner une décence qui défie la vraisemblance. Et l'on en souffre. » Il reprit avec un rire
plus confidentiel : « Si vous restez ici quelque
temps, l'on vous parlera bien d'un certain pavillon, un de ceux qui sont juste derrière la Demi-
lune, où quelques personnes se livrent, dit-on, à
des études très particulières. Car ce sont bien des
études. On ne se borne point à chercher d'aima-
bles divertissements. On prétend à perfectionner
un art. Ovide et l'Arétin doivent faire partie des
Docteurs dont l'enseignement s'applique et se
discute... Mais tout cela n'est de ma part qu'ouï-
dire. Et peut-être jalousie de pédant, de vieux
pédant... Vous êtes censé n'en rien savoir.

Il revint à son propos du début :

— Je vous répète, ce qui nous manque le plus,
ce n'est pas la décence naturelle, ni même, mon
Dieu ! un raisonnable esprit de modération et
d'entente. Ne demandons pas à la nature humaine plus qu'elle ne peut. Non. Ce qui nous manque, c'est une règle. Et c'est en cela que maître
Rabelais s'est trompé. Vous vous souvenez de son
abbaye de Thélème ?

— Oui, assurément.

— Je sais bien qu'il ne faut pas prendre cette
rêverie au pied de la lettre. Mais tout de même !
Notre Rabelais croyait un peu trop à la vertu du

« Fais ce que veux ». C'est une vertu qui, à la longue, s'épuise. Il faut toujours compter sur cette misérable nature, que nous avons héritée » il baissa la voix, « non peut-être tellement du péché originel, que des pitoyables sauvages des bois dont nous sommes sortis. Le bonheur nous déconcerte...

Il reprit avec vivacité :

— Je n'invoque pas Rabelais au hasard. J'ai connu très bien le comte de Juzennes, comme je vous l'ai dit, et les démarches de son esprit... j'y ai souvent assisté. Je sais très bien que la Thélème de Rabelais l'avait beaucoup frappé. Certes, il n'était pas homme à croire qu'une utopie se réalise telle quelle, ni à perdre de vue que son institution à lui répondait à une situation toute particulière. Mais enfin !

Ruchard se leva :

— Je vous laisse à votre Lucien de Samosate. Je vous ai beaucoup pris de votre temps.

— Oh !... Il est bien vrai que je serais content d'en finir avec ces deux pages. On doit m'avertir dès qu'il y aura un changement du côté de Cornaboux. Mais qui sait ? L'orage passera peut-être plus loin, sans nous toucher. Cornaboux est un homme de ressources.

XIX

Ruchard, qui avait emprunté un livre à M. de Sarolière, passa la fin de la soirée devant les braises de son feu. Il se demandait ce que Piquereau avait pu devenir.

Il le vit enfin arriver, portant un panier où il y avait un en-cas.

— J'ai pensé » dit le valet, « qu'avant de vous coucher vous auriez peut-être faim ou soif.

— Bonne idée. Et quoi de nouveau ?

— Le branle-bas continue entre le Prieuré et la Demi-lune. Ils déménagent des lits. Ils font toute espèce de préparatifs.

— Pas encore de fumée noire ?

— Non, paraît-il. Le gouverneur en est à se demander si Maître Cornaboux a bien la liberté de ses mouvements. Imaginez que les Impériaux l'aient chassé de sa cuisine. Comment s'y prendra-t-il pour faire sa fumée ?

— C'est vrai. Et que dit Toinon ? Tu l'as vue ?

— Oui. Il y a encore un instant elle était dans

la cuisine du Prieuré. Elle n'en sait pas plus que nous. Elle avait offert d'aller un peu dans le bois, à la découverte, pour se rendre compte ; en se faisant accompagner, naturellement. Le gouverneur n'a pas voulu. Il a dit qu'il était trop tard, et qu'on verrait demain matin.

— Et Mlle de Meyrueis ?

— Je l'ai aperçue de loin, deux ou trois fois. Elle fait un peu l'effet d'une âme en peine.

— Quelle est ton idée, maintenant, sur les gens d'ici ?

Piquereau prit un air d'importance :

— Ce n'est pas une simple idée que je me fais. Je me suis renseigné.

— Et alors ?

— Ils viennent d'un peu partout ; c'est-à-dire plutôt des pays voisins, sauf exception. La plupart, le comte de Juzennes les connaissait déjà.

— Oui, mais...

— Il était en relations avec eux. C'étaient des amis, pour ainsi dire. Un bon nombre sont gentilshommes. D'autres sont des bourgeois. Il y a même un abbé pour le service de la chapelle. » Piquereau ajouta avec un rire : « Je ne pense pas qu'il soit accablé de travail. D'après le calcul que j'ai fait, ils doivent être une cinquantaine...

— Cela ne me dit toujours pas pourquoi ils sont venus se rassembler ici, à un moment plutôt qu'à un autre.

— Si je ne me trompe, beaucoup étaient dans le cas de monsieur.

— Qu'entends-tu par là ?

— Eh bien ! Ils se savaient menacés, et ils cherchaient un refuge. Ou encore ils n'attendaient pas. Ils prenaient les devants. D'une manière ou de l'autre, c'étaient des gens qui eux non plus ne voulaient pas hurler avec les loups. » Piquereau mit dans cette dernière phrase une fierté personnelle.

* * *

Ruchard passa une nuit très silencieuse, et dormit plus profondément qu'il n'avait espéré. L'idée que les Impériaux pouvaient surgir sans se faire autrement annoncer lui flottait dans l'esprit, mais ne lui donnait guère plus d'agitation qu'un événement imaginaire conté dans un livre.

Il était déjà réveillé quand il entendit Piquereau sortir de la maison. Il sommeilla de nouveau.

Piquereau revint, un panier à la main, mais très ému.

— Monsieur est encore au lit ! Et les Impériaux arrivent !

— Comment cela ?

— Il y a la fumée noire. Depuis plus d'une heure.

— La fumée noire... avec des flammes ?

— Non... pas encore... » concéda Piquereau d'une voix déçue. « Mais des flammes peuvent venir d'une minute à l'autre.

— Pour l'instant, tout ce que cela prouve est qu'ils sont au moulin.

Ruchard se leva, fit sa toilette, se servit de la collation que Piquereau avait eu, malgré tout, le sang-froid d'apporter.

— Monsieur peut garder tout pour lui, s'il en a envie. J'ai déjà mangé un morceau à la cuisine.

Au moment où Ruchard se proposait d'aller aux nouvelles, il entendit des gens — deux ou trois hommes, semblait-il — approcher du pavillon en discutant avec bruit, y pénétrer, l'un d'eux monter à l'étage.

Quelque temps après, l'on frappait à la porte de l'appartement. M. de Sarolière se montra, appuyé cette fois non sur une béquille, mais sur une canne ; il dit :

— L'on vient me chercher.

— Pour délibérer avec le gouverneur, sans doute ?

— C'est probable ; étant donnée la fumée noire... vous savez déjà, n'est-ce pas ? Mais, si je comprends bien, l'on ne m'a pas attendu pour prendre les décisions. » Il rit. « Si M. Guèbe est venu me consulter hier, c'était seulement pour la forme. C'est à l'exécution qu'on en est mainte-nant, et mes services sont requis... Lorsque vous connaîtrez mieux notre cher de Bron, vous vous étonnerez moins.

— Quels services ?

— Oratoires, cher monsieur, ou prédicatoires. Il semble que l'on me réserve la mission de haranguer les troupes... Oh ! c'est ma faute. Je me suis laissé peu à peu assigner ce rôle ridicule.

— Il va donc y avoir une assemblée ?

— Oui, je pense. Avant que chacun joigne son poste aux remparts. Oh ! il s'agit de remparts tout métaphoriques, et d'une artillerie d'apothicaires.

— Vous savez ce que vous allez dire ?

— Oh ! Toujours la même chose. Que nous devons nous pénétrer de la valeur de ce qui est en jeu. Que les moyens sont pénibles, ou désobligeants, mais qu'il faut en passer par là, sous peine de bien pis. Que d'une façon générale ce n'est pas notre faute si la terre est un lieu si habité, et pourtant si peu habitable. Et ce qui me passera par la tête... Vous voyez : ces deux gaillards vont m'emmener en chaise à porteurs. Je deviens précieux, et j'ajoute princier. Vous ne nous accompagnez pas ?

— L'on ne m'en a pas prié.

— Mais moi, je vous invite.

— Ecoutez. Piquereau va partir avec vous. Si l'on souhaite ma présence, il reviendra me le faire savoir.

Piquereau, en effet, revint :

— M. le Gouverneur vous attend dans une heure environ. Il m'a dit de vous dire que s'il ne vous avait pas fait appeler en même temps que M. de Sarolière, c'était à dessein.

— Je m'en doute. Mais en as-tu deviné la raison ?

— Il m'a dit : « Je veux lui montrer les choses quand tout sera prêt. Qu'il ne s'impatiente pas ! »

— Et nous irons là-bas sans autre avis ?

— Oui ; dans une heure.

Ruchard faillit céder à un mouvement d'amour-propre. « Je me dérangerai quand on prendra la peine de m'envoyer chercher. » Puis il réfléchit que sa position ne lui permettait pas d'être à ce point chatouilleux. Et après qu'une heure se fut largement écoulée, il se mit en route avec Piquereau.

Comme ils avançaient par la prairie, ils aperçurent deux personnes à cheval qui, venant du Prieuré, se dirigeaient vers les bois à gauche en pressant le pas de leurs bêtes.

Vues de plus près, ces personnes parurent être deux femmes.

— N'est-ce pas Mlle de Meyrueis ? » dit Ruchard. « Et Toinon ?

— L'on dirait bien.

— Par où vont-elles de ce côté ?

— Peut-être à la porte du bois.

— Celle où nous nous sommes présentés
d'abord hier matin ?

— Oui. Je sais qu'elle est au bout du chemin
que vous voyez partir entre ces deux maisons.

Ils firent un temps de galop et rattrapèrent les
deux femmes à l'entrée du chemin :

— Où allez-vous donc, mesdemoiselles ?

— Dans le vallon » dit Jeanne.

— Pour quoi faire ?

— Voir un peu ce qui se passe. Déjà hier soir
Toinon voulait descendre, mais le gouverneur a
refusé de la laisser partir seule. Et personne n'insistait pour l'accompagner. Ce matin je me suis
offerte. J'ai mes armes.

Le visage de la jeune fille montrait la réso-
lution et l'amertume. Ses yeux brillaient de nouveau.

— Le gouverneur y a consenti ? » demanda
Ruchard.

— Il m'a fait promettre de ne pas nous exposer » dit la servante. « Je n'en ai d'ailleurs pas
l'intention.

— Vous voyez quelque utilité à cette course ?

— Si peu que nous apprenions, cela vaudra
mieux que de rester dans l'incertitude » dit
Jeanne. « Et puis toute leur comédie m'est
odieuse. Je ne veux pas m'y mêler.

— Quelle comédie ?

— Ce jeu de la peste froide. » Elle haussa les épaules avec irritation.

— Mais je m'aperçois que vous avez pris votre bagage. Vous ne pensez pourtant pas coucher au moulin ?

La jeune fille parut embarrassée :

— Non, bien sûr. Mais c'est chez moi une habitude. Dans la montagne, quand nous partions en expédition, même pour peu de temps, nous emportions toujours de quoi parer à l'imprévu.

Si Ruchard avait écouté son envie, il se fût écrié : « Eh bien, je vais avec vous ! » Mais la lumière qu'il y avait dans les yeux de Jeanne était aussi peu amicale et invitante que possible ; ne semblait même pas réclamer une obéissance, ou la souhaiter.

— Enfin » se contenta de dire Ruchard, « ne faites pas de folies. N'est-ce pas, Toinon ? Si vous entendez un bruit de troupe dans l'épaisseur du bois, revenez au plus vite. » Il ajouta, après une nouvelle réflexion : « Cela m'ennuie vraiment de vous voir courir cette aventure. J'en suis un peu honteux pour nous autres hommes. Le gouverneur m'attend... sinon... Mais pourquoi Piquereau n'irait-il pas avec vous ? C'est un garçon prudent. Je sais qu'il ne cherchera pas la bagarre. Je serai plus tranquille.

— C'est une très bonne idée » dit Toinon. « Moi, j'avais proposé cela, hier soir, pour rendre

service. Je comptais juste faire une pointe dans
les bois, que je connais très bien, et me rabattre
au premier bruit. Depuis, ma foi, j'y avais
renoncé. Mais j'ai compris ce matin que mademoiselle partirait de toute façon. Ignorante des
lieux comme elle est, c'était une pitié. Mais tant
mieux si Piquereau vient avec nous.

Piquereau accepta sans enthousiasme. Il jura
qu'il n'avait aucune envie de se mesurer avec les
lansquenets, et que dès qu'il entendrait bouger
les feuilles, il donnerait le signal de rentrer au
galop.

Ruchard continua son chemin vers le Prieuré.
Il observa quelques allées et venues qui se faisaient encore à travers la prairie. Le vent lui
apporta une odeur qui lui parut singulière. Mais
il n'y prêta pas attention, et pénétra dans l'édi-
fice.

Il trouva le gouverneur dans le vestibule, dis-
tribuant des ordres.

— Ah ! vous l'avez rencontrée ? » fit M. de
Bron. « Dites-vous bien qu'elle est partie malgré
moi, et qu'au surplus elle ne tenait pas du tout
à être accompagnée. Si elle a tout de même accepté Toinon, c'est que sans Toinon elle était sûre de
se perdre. Je suis bien surpris qu'elle se soit laissé
imposer votre Piquereau. Je ne sais pas en vérité
ce qu'elle médite. C'est décidément une fille
étrange.

Et M. de Bron leva les épaules, avec un soupir, comme si malgré lui il éprouvait de ce départ un soulagement.

— Je vais vous prier d'attendre encore, cher monsieur. Asseyons-nous dans cette petite salle... Ils ont à terminer leurs préparatifs. Tout cela est un peu bousculé. Du côté de la tour carrée, rien de nouveau. Mais le signal peut venir d'une minute à l'autre. Et il n'est même pas impossible que le système de Cornaboux n'ait pas marché, et que nous voyions revenir Mlle de Meyrueis et sa patrouille, nous annonçant que les Impériaux sont déjà dans le bois.

Il dit ensuite :

— Je ne vous ai pas demandé de participer à nos préparatifs, parce qu'il m'a semblé que là où vous seriez le plus utile, ce serait en voyant les choses d'un œil tout frais, comme un homme qui vient du dehors. Vous allez pouvoir nous dire : « Moi, je m'y serais laissé prendre », ou bien : « C'est manqué. » Je n'ose plus me fier à mon propre jugement. Et vous le sentez bien, si cette parade n'est pas parfaitement réussie, loin de nous servir, elle aggravera notre cas. Elle mettra ces bandits en fureur. Aucune conversation raisonnable ne sera plus possible.

— J'ai entendu dire que M. de Sarolière avait fait sa harangue ?

— Oui. Et fort bien, ma foi. Il était impossible

de peindre plus vivement la situation, ni de mieux donner à chacun le sentiment de sa tâche. Il a même fait vers la fin allusion à une idée assez nouvelle qu'il semble avoir. Je vous ai dit qu'il était notre Esope et notre Tyrtée. Je crois qu'il mériterait aussi de devenir notre Lycurgue.

— C'est-à-dire ?

— De nous donner des lois.

M. de Bron ne s'expliqua pas davantage. Un homme de service se présenta :

— M. Treillaux fait dire que vous pouvez venir, monsieur le gouverneur.

XX

Ils franchirent la pelouse. L'odeur qui avait déjà frôlé Ruchard vint à leur rencontre, si marquée cette fois qu'elle imposait l'attention. Le gouverneur vit Ruchard mal réprimer une moue d'écœurement.

— Qu'en dites-vous ?

— Cela fait partie du spectacle ?

— C'est une façon d'y préparer le spectateur.

— Il faut avouer que si le but est de vous mettre dans l'esprit des idées de pestilence et de pourriture, il est atteint. Comment ont-ils fait ? Ils se sont procuré des charognes ?

— Je ne sais pas, je ne sais pas. Mes deux médecins sont ingénieux. Pour le moment, vous n'avez pas à vous interroger sur les moyens. Ce qu'on vous demande de juger, c'est le résultat.

Ils arrivaient au seuil d'une des gracieuses maisons. Dès que la porte s'ouvrit, l'odeur, sans croître beaucoup, sembla devenir l'étoffe même de l'air qu'on respirait. Et du coup il se faisait irrespirable. Comment allait-on pouvoir s'enfoncer, en restant vivant, dans ce monde de miasmes infects et insidieux ?

La personne qui leur avait ouvert était une femme, âgée semblait-il, plus ou moins vêtue à la façon d'une religieuse. Elle avait la taille épaisse, le dos courbé. Un voile blanc lui tombait sur le visage.

A travers le vestibule, des linges souillés pendaient à des cordes. Sur le battant d'une porte, à gauche, était accroché un carré de toile où l'on avait une croix jaune.

La femme posa la main sur la poignée de la porte. Elle dit à voix basse :

— Peste froide. Cela s'attrape par le souffle. Tâchez de ne pas respirer.

Elle écarta son voile. Le gouverneur hésita un instant à la reconnaître. Puis il éclata de rire :

— Ah ! c'est vous, Agnès ! Il sera prudent de garder votre voile baissé. Le maquillage n'est pas mauvais. Mais les yeux sont bien jeunes. N'est-ce pas, monsieur Ruchard ?... Où avez-vous pris ce costume ?

— Une des sœurs de l'hospice me l'a prêté. Je l'ai modifié un peu. Je suis censée me tenir tantôt dans cette maison, tantôt dans la maison voisine.

— L'odeur est bonne. Mais je n'approuve pas

trop ces linges pendus. A quoi cela rime-t-il ? On pend du linge lavé ; point du linge sale et sanieux... Mais j'ai tort de parler. C'est l'avis de M. Ruchard qui nous importe.

— J'attends d'en avoir vu davantage.

— Si l'on s'étonnait de ce linge » dit la jeune dame, « j'expliquerais qu'on vient le chercher de l'hospice tous les soirs, et qu'en attendant je le mets là pour ne pas empester l'air du dehors.

— Ce qui ne fera guère l'éloge de notre propreté. Mais soit. Entrons.

La pièce était puante et sombre. Tout un angle était occupé par un large lit, où l'on distinguait deux têtes à un bout, une tête à l'autre, et les formes de trois corps sous la couverture. Le dessus de deux bahuts débordait de pots et de fioles. Au mur figuraient un Christ de bois et des images de piété. Rien ne rappelait les agréments de la vie.

— Nos malades... peut-on voir leurs mines ?

Des halètements, un gémissement léger, venaient des deux extrémités du lit, avec assez de vraisemblance.

Le gouverneur s'approcha, suivi de Ruchard. Les trois têtes étaient enveloppées de linges. Les draps remontaient jusqu'aux mentons. Le peu des visages qui pouvait s'apercevoir était jaunâtre et tacheté.

— Eh bien ? » fit le gouverneur.

— Dans cette lumière » répondit Ruchard en hésitant, « je crois que le premier venu s'y laisserait prendre... Mais si l'on vous demande, madame, d'écarter le rideau de la fenêtre ?

— Je prétendrai que les médecins l'ont défendu... que, dans la peste froide, le grand jour produit une douleur insupportable au fond des yeux.

— Il faudra » fit observer le gouverneur, « que dans les autres maisons on n'oublie pas de dire la même chose.

— Nous nous sommes mis d'accord. Les médecins le diront aussi.

— Oui... Il est vrai que tout cela suppose que la curiosité ne tiendra pas longtemps devant le dégoût.

— Justement, cette odeur » dit Ruchard en arrêtant une nausée, « qui est peut-être ce qu'il y a de mieux dans votre affaire, comment l'avez-vous obtenue ?

La jeune femme sourit, en laissant voir des dents, hélas, beaucoup trop parfaites :

— C'est notre secret. Nos voisins s'arrangent de leur mieux. Il faut garder un peu d'émulation.

— Si bien que vous êtes les seuls à répandre exactement cette puanteur-là ?

— Les seuls avec la maison d'à côté dont je m'occupe aussi.

— Mais si l'odeur des autres est trop différente, cela ne devient pas suspect ? » dit le gouverneur.

— Elle n'est pas trop différente, vous en jugerez. L'on pensera tout au plus qu'il y a des étapes sur le chemin de la mort et de la putréfaction.

— Sans aller pourtant jusqu'à l'odeur de sainteté, j'espère ? Car nos maroufles seraient capables de vouloir la renifler de très près.

— Non, non » dit la jeune femme en riant. « Cela ne risque pas.

— Quant à vous, Agnès » reprit le gouverneur, « gare à vos dents. Montrez-les le moins possible. Je ne vous demande pas d'en arracher quelques-unes. Mais hâtez-vous au moins de les noircir.

Au moment de gagner la sortie, il se retourna :

— Mais j'y pense, M. Moynier, qu'en avez-vous fait ?

— Il est là-haut, comme d'habitude.

— Dans son lit ?

— Oui.

— Il dort ?

— A cette heure-ci ? Oh !... plus ou moins.

— Vous avez fait des changements à l'aspect de sa chambre ?

— Bien peu. Nos allées et venues l'ont mis en colère. Vous savez que sa chambre n'a déjà rien de bien riant, et ressemble plutôt à une cellule.

— Oui... Mais songez au contraste pour qui sort d'ici. Vous ne pourrez pas parler de peste froide.

— S'ils insistent pour aller voir là-haut, c'est que nos horreurs d'en bas auront fait long feu. La partie sera déjà bien compromise. Nous pourrons, au besoin, parler d'une espèce de léthargie ou de catalepsie... Il est tout de même entouré d'une jolie armée de pots et de fioles.

— Oui... Et il baigne dans l'odeur... A propos, comment l'accepte-t-il ?

— Nous ne lui avons pas demandé.

Quand ils furent à quelques pas de la maison, et qu'ils eurent pris quelques bouffées d'un air qui par comparaison leur semblait incroyablement pur, le gouverneur s'arrêta un instant, et toucha l'épaule de Ruchard :

— Ce M. Moynier est une de nos principales étrangetés. Il dort, à peu près toute la journée, et je puis dire, par doctrine.

— Par doctrine ?

— Oui. Il nous vient d'Amsterdam. C'est un homme des plus distingués. Il a produit autrefois des travaux d'érudition philosophique. Son avis est que le monde a décidément mal tourné... ou plutôt était voué à tourner mal, et ne pouvait s'en empêcher. Une issue, n'est-ce pas, serait la mort volontaire. Mais à la rigueur il y en a une autre. M. Moynier prétend que le sommeil est une forme d'existence, qui nous permet de pénétrer et de circuler dans un monde tout différent. Il prétend aussi que son idée est très ancienne ; qu'il est le continuateur d'une secte, dont il a retrouvé les traces dans des documents anciens. Sur sa porte, là-haut, il y a un cartouche, avec un dessin compliqué, et les lettres C. S. S. J.

— Qu'est-ce que cela veut dire ?

— Compagnons du Sommeil de Saint-Jean. Ce serait le nom de la secte.

— Mais encore ?

— Je ne sais pas du tout ce que Saint-Jean vient faire dans l'histoire. Vous n'oubliez pas que M. Moynier a très peu de temps pour s'expliquer, puisqu'il dort toute la journée. Quand il est arrivé ici, il a fait un ou deux exposés de doctrine, devant quelques-uns de nos amis qui s'étaient dérangés pour l'entendre. Mais depuis, il dort.

— Réellement toute la journée ?

— A peu de chose près. Il tâche de se tenir le plus constamment qu'il peut dans son autre monde. De temps en temps, il lui faut bien faire une rapide apparition dans celui-ci. C'est comme s'il ouvrait une porte pour mettre le nez dehors, et rentrer aussitôt.

— Mais il réussit à avoir encore sommeil ?

— Il m'a dit qu'au début il avait dû prendre des tisanes pour continuer ainsi à dormir ; mais que peu à peu l'entraînement lui était venu. Il dit qu'à peine éveillé il se sent aussitôt hors de chez lui, et qu'il n'a qu'une hâte, c'est de se replonger dans le sommeil. Il affirme que c'est un choix à faire, et qu'une fois que le choix est fait, nous n'avons aucune peine à rester dans cet autre monde, à y poursuivre les occupations que nous y avons trouvées.

— Mais il est bien obligé de se nourrir ?

— Fort peu. On lui pose, sur une petite table qu'il a près de son lit, quelques aliments, de la boisson. A certaines heures, il allonge le bras pour attraper un morceau à tâtons, ou son gobelet. Je ne sais même pas s'il prend la peine d'ouvrir les yeux, et de vraiment se réveiller.

— Cette vie couchée doit l'avoir terriblement affaibli. Quand il se lève, il tient encore sur ses jambes ?

— Mais oui. N'oubliez pas qu'il n'est jamais resté plus d'un jour sans se mettre debout. Ses membres ont gardé un peu d'exercice, et de force.

— Qui lui a donné l'idée de venir chez vous ? Car enfin, si j'ai bien compris, le comte de Juzennes ne cherchait point de recrues de cet acabit?

— Non... Comme M. Moynier me l'a dit un jour, et il y avait là de sa part une naïveté plaisante, sa doctrine n'est pas de celles qui mettent leur homme en position de se tirer d'affaire lui-même. Ce n'est pas du tout comme un ermite au fond des bois... Il m'a raconté qu'aux temps anciens, quand la confrérie était prospère, elle avait découvert des expédients très ingénieux pour assurer et régler sa subsistance. Je n'ai qu'à moitié compris. Bref M. Moynier ne se dissimule pas que son ascèse exige une protection toute particulière. Il a pensé qu'il la trouverait ici. J'ai failli lui refuser l'entrée... Puis cette présence m'a semblé amusante, et inoffensive. Il a de l'argent.

— Tout le branle-bas d'aujourd'hui doit fort l'incommoder ?

— A coup sûr. Il s'est déjà plaint bien des fois du bruit que font ses voisins de la maison. Je lui avais offert le logis où vous êtes... M. de Sarolière est un voisin bien calme. Mais d'abord M. de Sarolière a protesté qu'il aimait mieux vivre franchement seul qu'avec l'illusion d'avoir sous le même toit un cadavre ou un fantôme. Et puis M. Moynier lui-même éprouve le besoin de se sentir profondément à l'abri. Votre pavillon est isolé. M. de Sarolière, dans son premier étage, ne figure pas une protection très efficace.

— M. de Sarolière pouvait prendre le logement du bas ?

— Il s'y refusait absolument ; malgré l'embarras que l'escalier donne à ses rhumatismes. Vous n'imaginez pas combien il nous faut compter avec les bizarreries de caractère...

— Pour en revenir à votre M. Moynier, quel genre de sommeil a-t-il ? Le savez-vous ?

— Un sommeil très animé, affirme-t-il, peuplé de rêves, et d'un intérêt constant.

— Point de cauchemars ?

— Il m'a dit un jour : « Mes cauchemars à moi, ce sont les moments où je me réveille. » Mais il est temps que nous jetions un coup d'œil à la maison d'à côté.

XXI

Quand ils eurent terminé leur tournée d'inspec-
tion — et Ruchard se plut à reconnaître qu'au
prix de quelques corrections le tableau était bien
de nature à produire un bon effet sur des visiteurs
que l'on ne devait pas supposer d'esprit trop
subtil — le gouverneur déclara :

— Puisque nous n'avons pas d'autres nouvelles
du moulin, je vais en profiter pour faire un saut
jusqu'à l'hospice. Là-bas, le problème était plus
facile. Il n'y a pas de situation à dissimuler. Tout
au plus un coup de pouce à donner çà et là. J'ai
laissé quelques instructions. Notre second médecin est déjà sur place... Je voudrais voir surtout
si à toutes questions l'on a bien des réponses prê-
tes. Venez avec moi. Nous allons prendre nos chevaux, à moins que le vôtre ne vous semble mal en
point ? Rien d'ailleurs ne nous oblige à marcher
vite.

Ils partirent au pas, en effet ; et Ruchard acheva
de se convaincre que le domaine offrait, dans

toutes les directions du regard, des étendues pleines d'agrément.

Ils furent bientôt rattrapés par un homme de service.

Cet homme qui semblait à bout de souffle, annonça que Prosper, le valet du moulin, venait d'arriver. Prosper avait couru si vite, sur un mauvais cheval, que la force lui avait manqué pour se mettre lui-même à la recherche du gouverneur.

— Quelles nouvelles apporte-t-il ?

— Eh bien ! que les Impériaux se préparent à monter.

— Pourquoi n'y a-t-il pas eu de flammes dans la fumée du moulin ? C'était plus simple que d'envoyer Prosper.

— Parce qu'on ne sait pas encore quand ils vont partir. Et il y a d'autres choses que Prosper vous expliquera.

Ils trouvèrent Prosper dans les cuisines du Prieuré, assis près d'un pichet de vin, et entouré d'un auditoire qu'il régalait de ses discours.

— Alors, vous les avez depuis ce matin ?

— Depuis hier soir ! Nous n'avons pas fait de fumée tout de suite parce qu'avec la nuit cela ne servait à rien. Nous n'avons allumé qu'à l'aube. D'ailleurs il en arrive toujours.

— Combien sont-ils ?

— Je ne sais pas au juste. Trois, quatre cents peut-être.

— Comment avez-vous réussi à les loger ?

— Ils se sont fourrés dans la grande salle, dans l'écurie, dans les greniers ; un peu partout. Une vraie vermine. Certains ont préféré coucher dehors. Par le beau temps qu'il faisait ! Ils ont des tentes, n'est-ce pas ?

— Et quel air ont-ils ? De vrais brigands ?

— Cela dépend desquels. Il y en a dont vous diriez plutôt qu'ils sont abrutis.

— Parlent-ils de venir de ce côté ?

Maître Cornaboux, expliqua Prosper, l'avait dépêché justement parce que les intentions des Impériaux n'étaient pas claires, et en outre parce qu'il craignait que le langage des fumées, tel qu'on en était convenu, n'en dit pas assez.

Ce qu'on pouvait supposer, c'était que les Impériaux avaient sur l'hospice en général des renseignements qui les avaient mis en appétit. Peut-être ne les avaient-ils compris qu'à moitié. Ce qui semblait à peu près certain, c'est qu'ils ne s'éloigneraient pas avant d'avoir tenté une exploration par eux-mêmes.

— Maître Cornaboux a-t-il essayé de leur faire peur avec les maladies ? Avec la peste froide ?

— Maître Cornaboux et nous autres, tant qu'on a pu. On s'est surtout arrangé pour leur faire comprendre qu'il y avait un côté qui était le plus dangereux, où l'on mettait les pires maladies, la peste, justement.

— Quel effet leur avez-vous produit ?

— Ils avaient l'air déjà un peu moins chauds. Mais on n'osait pas trop insister, pour ne pas leur mettre la puce à l'oreille.

Probablement, pensait Prosper, les Impériaux n'enverraient d'abord qu'une patrouille commandée par un officier. Cet officier, Prosper le connaissait déjà. C'était un de ceux qui n'avaient pas la mine encore trop féroce. On le choisirait parce qu'il parlait couramment le français. Bien entendu, Maître Cornaboux essayerait de les faire passer par le côté de l'hospice.

Dans tous les cas, ils ne semblaient pas avoir l'intention de monter avant le lendemain matin. Ils avaient à se reposer et à se regrouper. Les traînards étaient nombreux. Maître Cornaboux n'ajouterait des flammes à sa fumée qu'au moment où la patrouille viendrait décidément de partir. Il tâcherait d'indiquer par une différence dans les flammes de quel côté se ferait la montée : flammèches légères, si c'était en prenant le grand tour du côté de l'hospice ; grosse flambée, si par malheur c'était directement à travers bois. Et si, par encore plus de malheur, au lieu d'une simple patrouille, toute la troupe, ou un bon morceau se mettait en branle vers le Prieuré, on tâcherait de produire un vrai torrent de flammes.

— Maître Cornaboux m'a dit aussi : « S'ils parlent de monter tout droit par le fond du vallon, je leur dirai, naturellement, que c'est de la folie, qu'il n'y a pas de chemin, qu'ils casseront les pattes de leurs chevaux, qu'au total ils se perdront. S'ils insistent tout de même trop, je leur donnerai comme guide Boniface, le petit garçon d'écurie. Boniface, en ayant l'air de chercher les passages, leur fera aisément faire le double du chemin. Donc, quand mes grosses flammes auront commencé, ils auront bien là-haut encore deux bonnes heures, sinon plus, pour se retourner. Mais en attendant, qu'ils ne se relâchent pas ! L'alerte ne sera finie qu'avec une fumée blanche, bien blanche, que je ferai durer longtemps. Ils pourront s'y fier. Je ne la lancerai pas avant d'être sûr. Elle voudra dire : « Les cochons sont partis dans une autre direction. Au besoin je les ferai suivre. »

— En venant, tu n'as rencontré personne ?

— Personne ? Non.

— Pas une petite bande, où il y avait d'abord Toinon, puis mon valet Piquereau, et la demoiselle, tu sais ?

— Non.

— C'est bien étonnant. Ils sont partis depuis longtemps déjà. Comme c'est Toinon qui se chargeait de conduire, ils ont dû prendre les passages habituels.

— Je sais bien que dans le sous-bois nous ne passons pas toujours par les mêmes endroits.

Pourtant c'est drôle. Ils étaient à cheval ? J'aurais pu au moins entendre leur bruit.

* * *

Toinon et Piquereau ne reparurent qu'au milieu de l'après-midi. Ils n'étaient pas fiers. Ils étaient las et affamés.

— Nous avons fait de notre mieux. Cette demoiselle est une personne intraitable. Au premier carrefour elle a voulu, à toute force, prendre par le chemin montant. Elle disait qu'elle voulait se rendre compte des lieux, et que les Impériaux pouvaient très bien avoir eu l'idée de faire le détour par là. Quand nous avons été au bord du plateau, elle nous a dit : « Réflexion faite, je préfère vous quitter. Si les gens de l'hospice avaient résolu de se battre, je ne les abandonnerais pas. Mais puisqu'ils espèrent s'en tirer par une mascarade, ils n'ont pas besoin de moi. » Nous avons essayé de la retenir. C'était inutile. Nous avons bien compris qu'en apercevant le plateau elle s'était dit qu'elle pouvait s'échapper par là, et se débarrasser des uns comme des autres. Elle avait préparé son coup.

Tous deux ensuite étaient revenus dans les bois, assez marris de l'aventure. Ils s'étaient approchés du moulin, jusqu'à n'en être plus qu'à un quart de lieue. Ils avaient écouté soigneusement, entendu une rumeur confuse, comme celle d'un marché de village ; mais rien qui annonçait le mouvement d'une troupe. A leur avis, entre le moulin et le Prieuré, le vallon était encore vierge d'intrus.

— A part cela » demanda le gouverneur, « vous n'avez aucune idée de ce qu'a pu devenir Mlle de Meyrueis ?

— Nous sommes restés un bon moment à la regarder partir ; pour le cas où elle changerait d'avis.

— Vous ne pensez pas qu'elle ait fait semblant de s'éloigner, mais qu'en réalité elle soit allée rejoindre ces huguenots d'Allemagne, qui sait ? pour leur montrer le chemin.

Toinon et Piquereau furent d'accord pour déclarer qu'ils ne le pensaient absolument pas. Ruchard les appuya :

— Je la croirais capable de tout plutôt que de vilenie et de traîtrise.

* * *

Ruchard passa la fin de l'après-midi avec M. de Sarolière, dans la pièce encombrée de livres.

Ils parlèrent de Jeanne de Meyrueis.

— C'est dans son genre une frénétique » dit le vieillard. « Notre modération lui faisait horreur. » Il ajouta en riant : « Je regrette pour vous qu'elle soit partie. Vous aviez visiblement un faible pour elle. Qui sait ? Avec le temps, vous auriez pu la rendre amoureuse. C'était le seul remède.

Ruchard posa des questions. En homme qui a été mêlé à la gestion des affaires publiques, il avoua qu'il se représentait mal les rapports d'intérêts entre le Prieuré et l'hospice.

— C'est de la dernière complication » dit le vieillard. « S'il y avait un jour procès, je doute que les juges parvinssent à s'y reconnaître. Tout le domaine, y compris le terrain où est l'hospice, appartenait à Juzennes, comme bien de famille ; et nous appartient à nous, comme ses héritiers. L'hospice a été bâti autrefois partie des deniers de la famille Juzennes, partie de fondations pieuses, partie enfin des libéralités de la ville de Dijon ; et bien qu'il soit aujourd'hui fort riche, du fait des legs et donations accumulés, et qu'il ait plus que de quoi se suffire, la ville de Dijon est censée mettre le nez dans l'affaire. Cela se borne en réalité à peu de choses. Un conseil de notables administre ; mais d'assez loin. C'est le gouverneur qui est le maître véritable ; et c'est Juzennes qui l'a installé dans la place. Quant au Prieuré, le vieux bâtiment appartenait à Juzennes ; et les nouveaux ont été édifiés par lui. L'hospice n'avait jamais eu la jouissance de ce côté-ci du domaine.

— Pourtant, les murs formaient bien un seul enclos ?

— Les murs d'enceinte ne venaient pas jusque par ici.

— Mais alors comment était fermé de ce côté-ci le domaine de l'hospice ?

— Par une petite muraille basse, qui se raccordait aux derniers murs de ces jardins clôturés que vous avez traversés en venant. Cette petite muraille subsiste encore par endroits. Le mur d'enceinte qui nous enveloppe maintenant avec le reste, c'est Juzennes, notre Juzennes, qui l'a complété.

— Mais, si je comprends bien, les ressources sont restées distinctes ?

— Tout à fait. Je vous l'ai dit, nous ne coûtons rien à l'hospice, au contraire. Le comte nous a légué la plus grande partie de ses biens. Beaucoup d'entre nous sont entrés ici avec quelque fortune. Il nous arrive de faire des dons à l'hospice. Et d'abord nous lui faisons cadeau du loyer de toutes les terres qu'il occupe, loyer qui serait considérable. Nous le lui comptons pour un franc, je crois.

Ruchard voulut éclaircir ensuite l'énigme de Cornaboux, qui était celle aussi du moulin et de la grande salle.

— Je ne m'explique pas l'importance que vous attachez à cet homme — si brave homme soit-il — ni les réunions qui se font chez lui, et auxquelles j'ai prêté mes humbles services. Sauf exception les gens qui se retrouvent au moulin ne viennent pas d'ici ? A peine en ai-je reconnu un ou deux. Alors, d'où viennent-ils ?

— Vous avez là » répondit M. de Sarolière, « un autre exemple de la vertu que dégageaient la personne, l'esprit de notre Juzennes. Il était de la race des fondateurs. Il transformait les choses autour de lui. Dans d'autres circonstances, il eût été un Alexandre... ou un Saint-Bernard. Les terres qu'il avait héritées, ou sur lesquelles il avait des droits, s'étendaient fort loin. Il y avait bien des enclaves ; mais sur au moins trois lieues de long et deux et demie de large, tout lui appartenait, ou relevait de lui : fermes, manoirs, gentilhommières ; sans parler des maisons bourgeoises qu'il possédait dans plusieurs villes et bourgades des environs. Il n'a eu de cesse, pendant près de vingt ans, qu'il ne se fût débarrassé des tenanciers, fermiers, locataires, qui lui déplaisaient ; de ceux dont, suivant sa parole, la seule présence empoisonnait l'air qui soufflait à travers ses bois. Ceux qu'il traquait ainsi étaient non des gens qui lui avaient fait personnellement du tort, mais ceux qu'il appelait les âmes furieuses, suppôts de tous les fanatismes, ceux qu'il rendait responsables des malheurs du monde, les procureurs bénévoles de la potence et du bûcher. En vingt ans, avec de l'obstination et un homme d'affaires habile, on fait bien des choses. Les simples paysans ne le tourmentaient pas beaucoup. D'ailleurs

vous savez comme moi que les paysans ne
s'échauffent guère d'eux-mêmes, et ne donnent
dans un fanatisme ou un autre que s'ils y sont
fortement poussés. (Je suppose qu'il a fallu aux
montagnards des Cévennes la morsure de plus
d'une Jeanne de Meyrueis avant qu'ils n'en vins-
sent à écumer.) Si pour plaire au seigneur il suffit
de se montrer peu féroce en matière de doctrine,
cette complaisance ne leur coûte guère. Ajoutez
un curé comme il faut, que le châtelain a choisi,
traite bien, fournit de bonnes idées, et qui ne se
cache pas de préférer le rôti de poularde à celui
d'hérétique... D'autre part le comte attirait sur ses
domaines des amis à lui, ou des personnes qu'on
lui recommandait, les aidait à supporter les frais
d'un déplacement, les installait aux endroits qu'il
avait fini par rendre libres. C'est ainsi, notez-le,
que moi-même je suis venu.

— Je vous croyais né dans ce pays.

— Non. Mon toit paternel était dans le Niver-
nais. J'avais longtemps correspondu avec Juzennes ; je l'avais visité deux fois, avant de me laisser
attirer. Juzennes prétendait en ce temps-là que
c'est par paresse, manque de diligence, que nous
acceptons de vivre comme nous faisons, entourés
de n'importe qui, et de nous frotter chaque jour à
des gens qui n'ont aucune affinité avec nous, dont
les façons de penser et de prendre la vie nous sont
horribles. Quand je suis arrivé, j'ai vécu d'abord

dans un petit manoir, non loin d'ici. Je ne me
suis transporté ici même que deux ans avant la
mort de Juzennes, qui me l'avait demandé, qui
comptait un peu sur moi pour échauffer dans les
débats le zèle commun. Il était devenu alors moins
ambitieux, ou avait un peu changé ses vues. Il
admettait qu'il n'est pas facile de purger tout un
pays, même petit ; et que pour ceux qui tiennent
vraiment à l'entre-soi, il faut envisager des limi-
tes plus étroites, un rassemblement plus artificiel.
L'image de Thélème est venue flotter par là-
dessus...

— Mais Cornaboux ?

— Eh bien, pour ce qui est de Cornaboux,
n'oubliez pas qu'il a toujours été dans la confiance
et l'amitié du comte. Il l'a aidé de mille manières
dans l'exécution de ses projets. Personne mieux
que lui ne savait reconnaître un furieux déguisé,
surprendre les menées d'un faux ami, tâter le terrain en vue d'une éviction amiable. Par la suite
son moulin est devenu un lieu où l'on se retrou-
vait, avec plus de sécurité que nulle part ailleurs,
et l'est resté pour certains, même depuis que le
meilleur de l'œuvre de Juzennes s'est enfermé
dans ces murailles. Nombre de nos amis vivent
encore dans ces lieux d'alentour, à l'état dis-
persé. » M. de Sarolière se mit à rire : « C'est, si
vous voulez, notre Tiers Ordre. Il ne leur est pas
toujours facile de monter jusqu'ici. Et nous-

mêmes ne souhaitons pas tant d'allées et venues.
Ils se rencontrent au moulin. Ils nous y rencontrent aussi parfois, bien qu'entre le moulin et
nous, nous ayons jugé prudent, vous le savez, de
ne laisser se frayer aucun chemin direct. Enfin
Cornaboux, comme vous le voyez en ce moment,
nous sert de sentinelle avancée.

— Mais le château même du comte, qui l'habite aujourd'hui ?

— Il est en somme divisé ; un des vieux amis
dont je parlais est avec les siens dans l'un des
bâtiments ; le corps de logis principal est occupé
par trois personnes, assez âgées, de la famille du
comte » M. de Sarolière rit de nouveau, « qui
n'ont évidemment que peu de part à son héritage
spirituel, et peu de souci de ce qu'il devient.

— Pourquoi votre ami n'a-t-il pas eu l'idée de
faire autour de son château ce qu'il a fait ici
autour du Prieuré ?

— Le lieu — vous vous en rendrez compte
quand vous le visiterez — s'y prêtait beaucoup
moins. Les accès en sont bien moins défendus,
bien plus voyants. Et puis il n'y avait pas cette
ombre tutélaire de l'hospice. Ne perdez pas de
vue que c'est là un élément essentiel.

XXII

Vers le milieu du jour suivant, tout le prieuré et la Demi-lune furent avertis que des flammes venaient d'apparaître dans la fumée noire, et qu'elles étaient très nourries. Ruchard, bientôt touché par la nouvelle, se rendit au Prieuré, où il trouva ces messieurs en conseil de guerre.

Le débat portait d'abord sur l'abondance des flammes, et la signification à en tirer. M. de Bron, dont le naturel tendait au calme, opinait que le volume en était moyen ; et donc que le pis auquel on pouvait s'attendre était la montée d'une patrouille, venant directement du moulin à travers les bois.

Ruchard offrit ses services :

— Je n'ai vu » dit-il, « la porte du bois que de l'extérieur. Mais il y a bien, n'est-ce pas ? quand on entre par là, deux pavillons ?

— Oui.

— Ils sont grands ?

— Assez grands. Chacun de cinq ou six pièces, sauf erreur.

— Qui les habite ?

— Ils sont presque vides. Deux vieux gardiens, dont l'un est marié.

— En mettant des paillasses sur le sol, combien y pourrait-on loger d'hommes ?

— Je ne sais au juste. Une bonne vingtaine, pour le moins.

— Je propose ceci : faites dès maintenant transporter là-bas ce que vous pourrez de paillasses et de literie. Qu'on débarrasse quelques-unes des pièces. Qu'on les nettoie. Et qu'on en fasse de petits dortoirs. Moi, je vais là-bas. Vous me donnez, au besoin par écrit, l'autorité nécessaire. J'attends la patrouille. Quand les soldats arrivent, ils tombent sur ce branle-bas. J'explique à l'officier que nous avons préparé ces dortoirs pour que ses hommes puissent se reposer, et passer la nuit à l'abri de la contagion. Je lui dis que lui-même, s'il le souhaite, peut venir avec moi visiter tout ce qu'il lui plaît ; que vous êtes disposé à le recevoir ; que nous prendrons d'ailleurs chemin faisant toutes les précautions pour qu'il n'attrape pas le mal.

— Qu'espérez-vous de cela ?

— Les mettre tout de suite dans l'état d'esprit convenable. Faire que si l'officier se décide pourtant à inspecter les lieux, insiste pour vous voir et vous interroger, ce soit avec l'idée que chaque minute de plus qu'il y consacre est une impru-

dence mortelle. Si vous aimez mieux, lui brouiller
la vue d'avance par un·voile de terreur.

— Ils auront des chevaux, dont ils ne voudront
pas se séparer. Où les logerez-vous ?

— Ce n'est pas difficile » dit M. Guèbe. « Un
peu plus loin, contre la muraille d'enceinte, nous
avons un long hangar. Il est peut-être en partie
encombré de piles de bois. Elles seraient vite
déplacées.

— Votre officier, s'il veut se faire accompagner
par plusieurs de ses hommes, vous ne l'en empê-
cherez pas ?

— Certes non. Mais j'espère qu'ils viendront à
contre-cœur, et n'auront qu'une hâte : retourner
près de leurs camarades.

Le conseil finit par reconnaître que la manœuvre proposée, même si elle échouait, et à condition qu'on n'y mît pas une insistance suspecte, ne
pouvait causer aucun dommage. Au surplus M.
de Bron, qui semblait se faire une haute idée de
l'habileté de Ruchard à ce genre de négociations,
déclara que personne, en tout cas, ne s'en tirerait
mieux que lui.

* * *

Ruchard se fit donner un ordre écrit, signé du
gouverneur, et prit avec lui Piquereau, qui devait
lui servir d'homme de liaison. Toute une équipe
les suivait à peu de distance. Les uns s'étaient

munis de balais, de seaux, de serpillières. Les autres apportaient les premières pièces de literie.

Les deux gardiens, dont l'un était l'homme à la souquenille brune du premier jour, montrèrent beaucoup d'étonnement et de mauvaise grâce. Ils ne purent s'opposer pourtant à ce qu'on transformât en dortoirs les pièces principales des deux pavillons, qu'il fallut débarrasser du fouillis qu'ils y avaient accumulé. L'on prépara une chambre particulière pour l'officier.

Cependant une nouvelle idée vint à Ruchard :

— Va demander de ma part au gouverneur » dit-il à Piquereau, « qu'il nous prête deux hommes, qui soient armés, ou qui aient l'air de l'être. Vous irez tous trois vous poster au premier carrefour, où il y a la source. Les Impériaux arriveront sûrement par là. Vous les recevrez tout à fait paisiblement, comme si votre office ordinaire était de vous tenir à cet endroit pour accueillir dignement les visiteurs, les annoncer, les guider ou s'il y a lieu les éconduire. Tu feras de grandes politesses à l'officier. Tu lui diras que tu passes devant, pour être sûr que toutes les précautions ont été prises, que tous les malades dangereux sont bien écartés du chemin.

Piquereau semblait manquer d'ardeur. Mais Ruchard lui montra que cette première petite cérémonie rendrait les suivantes plus aisées et plus croyables ; qu'elle poserait à la porte du Prieuré des soudards déjà un peu dégoûtés de l'aventure.

— Mais s'ils me tuent ?

— Pourquoi ? Ont-ils tué Cornaboux, ou Prosper ?

— Ils peuvent me faire prisonnier.

— En ce cas, ils t'amèneront avec eux. Nous aurons tôt fait de te justifier... Tu prendras ton cheval. L'on verra bien ainsi que tu es le chef du poste. Et tu auras plus de facilité de mouvement.

***

Environ deux heures après, Piquereau, tenant son cheval par la bride, passait sous la petite porte, et pénétrait dans la cour, où se faisaient encore des allées et venues d'hommes de service, des transports de literie.

— Ils viennent derrière moi » dit-il.

— Nombreux ?

— Une douzaine, pas plus. Avec un lieutenant.

— C'est l'officier dont nous parlait Prosper ?

— Je suppose. Il parle bien le français, quoiqu'il ait un drôle d'accent.

— A-t-il l'air féroce ?

— Non. Ennuyé plutôt, et pressé de boire un coup.

— Ils sont tous à cheval ?

— Non. Deux seulement. Le lieutenant et un autre.

— Comment cela s'est-il passé ?

— Assez bien. J'ai fait de grandes politesses. J'ai dit que nous étions là pour les annoncer, et leur montrer le chemin. Ils auraient pu me répondre que c'était inutile, puisqu'ils avaient avec eux le petit garçon d'écurie. Le lieutenant a dit au contraire que ce n'était pas dommage ; que le garçon ne semblait pas bien connaître le chemin ; qu'il s'était trompé plusieurs fois. Au fond, ils ne demandaient pas mieux que d'avoir le prétexte de s'asseoir sur l'herbe, et de faire la pause, surtout à côté d'une source.

— Tu as parlé des précautions que nous avions prises du côté des malades ?

— Oui. J'ai dit que j'espérais que tout était prêt ; mais que j'allais jeter un dernier coup d'œil.

— Ils ont bien voulu ?

— Le lieutenant n'était pas fâché non plus de se reposer. Il était arrivé à son cheval un peu la même chose qu'au vôtre. La bête boitillait. Le lieutenant avait dû faire la dernière partie du chemin à pied.

— Il n'avait pas pris le cheval de l'autre ?

— Non. Je ne sais pas pourquoi. Il m'a dit : « C'est cela. Mais ne revenez pas nous chercher. Ce serait trop long. Nous repartirons de nous-mêmes, avec vos deux hommes, dans un petit

moment. » Je ne lui avais pas indiqué la distance.
Il a pu croire que c'était encore loin.

— Et quand tu as parlé des maladies, y ont-ils
fait attention ? Avaient-ils l'air d'entendre cela
pour la première fois ?

— Oh ! mais non ! Ils en paraissaient même
tout tourneboulés. Ceux qui comprenaient plus ou
moins expliquaient aux autres. Ils ne semblaient
pas pressés du tout de se remettre en route pour
ici. Evidemment le vin du père Cornaboux leur
pesait dans les jambes. Mais j'ai idée que si tout
à coup le lieutenant leur avait dit : « Je commence à en savoir suffisamment sur ce dépotoir de
pestiférés. Mon avis est que nous fassions demi-
tour », ils se seraient levés avec entrain, vin dans
les jambes ou pas.

— Tu ne crains pas que les deux hommes du
Prieuré que tu as laissés derrière toi ne disent des
sottises ?

— Non. Je leur ai trop fait la leçon. Ils ont
bien l'idée que moins ils en diront, mieux cela
vaudra. J'en viens même à croire qu'ils ne sont
pas très tranquilles avec cette histoire de maladies. L'un d'eux, quand nous descendions vers le
carrefour, m'a fait la réflexion que c'était dans
les habitudes du gouverneur de cacher la vérité,
et de tourner les choses en plaisanterie quand
justement elles menaçaient d'aller le plus mal ;
que la peste froide avait bel et bien été, il y a

moins de deux ans, une affaire terrible, et que
déjà en ce temps-là le gouverneur avait raconté
des balivernes, probablement parce qu'il pensait
que si la peur s'empare de tant de monde, c'est
le meilleur moyen pour que les gens tombent
comme des mouches.

— Eh bien, va maintenant trouver le gouverneur. Mets-le au courant. Dis-lui que j'attends ici
le lieutenant et sa patrouille ; que je ferai pour
le mieux ; que je tâcherai de lui amener le lieutenant tout seul ; et qu'à mon avis nous devons
continuer le jeu qui est amorcé : apparaître
comme des gens de grande courtoisie, et de bonne
composition, prêts à s'incliner devant la nécessité
et à rendre des services dans la mesure raisonnable, et méritant d'être crus quand ils prétendent
vous mettre en garde dans votre intérêt contre un
péril qu'ils sont mieux que personne à même
d'apprécier.

XXIII

Piquereau avait eu le temps de revenir, et d'assurer son maître que le gouverneur avait bien saisi et approuvait, quand on entendit au dehors le bruit des arrivants.

— Va les accueillir. Laisse la porte grande ouverte. Je m'avance à leur rencontre derrière toi.

Ruchard alla jusqu'au seuil, prit un air de dignité souriante, et inclina la tête à l'adresse de l'officier. Cet officier était un garçon d'environ trente-cinq ans, grand, maigre, planté un peu de travers, qui en vous regardant clignait des yeux comme ceux qui n'ont pas une très bonne vue, et dont l'expression de visage n'avait en somme rien de guerrier. On y aurait deviné plutôt de la lassitude, une tendance à la moquerie désabusée, même, ce qui était encore moins vraisemblable, des goûts studieux. Il était à pied, comme l'avait annoncé Piquereau. Son cheval suivant en boitillant, tenu en bride par le jeune garçon d'écurie que Ruchard avait entrevu au moulin. Les soldats avaient en revanche les mines peu rassurantes de leur emploi.

— Monsieur l'officier » dit Ruchard d'un ton de franchise aimable, « je crois savoir que vous comprenez le français ?

— Je le comprends, et je le parle » répondit l'autre sans rudesse. Il avait un accent qui rappelait celui du Jura.

— Je m'excuse de vous recevoir à cette entrée si mesquine. A vrai dire, ce n'est pas une entrée. Nous accueillons toujours nos visiteurs de l'autre côté. Mais... » il feignit d'être perplexe, « il est sans doute un peu tard pour vous demander de faire le tour des murailles ?... » il les désigna du geste.

— Qui empêche d'entrer par ici ?

— Rien, rien » fit Ruchard en riant, « que le désir de vous traiter avec plus d'honneur, et surtout la crainte d'exposer la santé de vos hommes.

— C'est donc bien dangereux ?

— C'est assez dangereux » répondit Ruchard, tandis qu'il s'effaçait pour céder le passage au lieutenant.

Comme les soldats de la patrouille faisaient mine de suivre leur chef, Ruchard affecta soudain l'inquiétude, et se penchant dit à mi-voix :

— Recommandez-leur bien de ne pas s'écarter !

Le lieutenant, sans demander d'autre explication, donna dans sa langue un ordre à celui de ses hommes qui avait un cheval, et qui devait être un

sous-officier. La petite cour présentait encore des
traces de remue-ménage. Le lieutenant eut un
regard d'interrogation :

— Nous avons cherché à vous loger le mieux
possible » dit doucement Ruchard. « J'ai bien
pensé qu'arrivant ainsi tard dans la journée, vous
n'alliez pas redescendre ce soir même... Evidemment vous auriez été beaucoup mieux de l'autre
côté, dans un des locaux mêmes de l'hospice. Il y
a des endroits, là-bas, où les contagions ne sont
pas fort à craindre. Mais c'est en quittant le moulin que vous auriez dû prendre une autre route.

L'officier semblait se demander à qui exactement il avait affaire.

Ruchard garda le ton de l'hospitalité obli-
geante, et de la simplicité qui va droit au fait :

— Je ne me suis pas encore présenté, monsieur
l'officier. » Il refit un léger salut. « Je suis l'assis-
tant de M. le Gouverneur. » Il saupoudra ce mot
de gouverneur d'une grosse pincée de solennité
déférente. « Il m'a prié de me mettre à votre service, et de pourvoir à vos désirs... Je suppose que
votre mission, n'est-ce pas, est de vous renseigner
sur les ressources que peut offrir l'hospice ?... en
ce qui concerne le ravitaillement ?

— Oui... oui...

— Peut-être même avez-vous pensé à un cantonnement pour vos troupes ?

— Oui.

— Vous êtes nombreux au total, là-bas ?

— Deux cent cinquante... plus ou moins.

Ruchard secoua la tête, et dit sur un ton de sincérité navrée :

— Le mieux, monsieur l'officier, sera que vous vous rendiez compte par vous-même... De ce côté-ci, bien entendu » il fit un geste vague dans la direction du Prieuré, « il n'est pas question. Ce serait un meurtre... De l'autre côté, on arriverait peut-être à loger, pour un jour ou deux, une cinquantaine d'hommes, en déplaçant des malades non contagieux ou des vieillards infirmes... Mais ce serait tout... Nous ne pourrons voir cela que demain matin. » Il fit un geste circulaire. « Rien que pour contourner la muraille, il faut à cheval trois bons quarts d'heure... Et le jour baissera bientôt.

— Pourquoi » fit l'officier, d'ailleurs sans rudesse, « ne pas passer directement par ici ?... Ce doit être plus court ? » Il désignait l'intérieur du domaine.

Ruchard eut un geste d'effroi.

— Par ici ?... Avec cet endroit qu'il faut traverser un peu plus loin ?... » Il éleva la voix, et regarda Piquereau pour s'assurer qu'il entendait. « Une véritable barrière de miasmes ! Je ne sais à quoi cela est dû. Mais c'est à craindre d'y poser le pied... Je présume qu'on a eu le tort, à une certaine époque, d'y vider les ordures des pesti-

férés... » Il continua d'un ton raisonnable : « A
la rigueur, s'il ne s'agissait que de nous y faufiler,
vous et moi, je me risquerais à vous conduire,
parce que je connais admirablement le terrain.
Mais je ne puis pas prendre par la main chacun
de vos hommes... » Il fit plusieurs fois de l'index
levé un geste de dénégation très énergique :
« Non ! non ! Et vous n'allez pas passer la nuit
là-bas, tout seul, si loin de votre patrouille.

Tout cela regorgeait d'honnêteté et de sollici-
tude. Pourtant l'officier dit, plaisantant à demi :

— Vous vous tourmentez beaucoup pour notre
santé ! Après tout, cela devrait vous être égal...
et même... » il hocha la tête en riant.

Ruchard rit à son tour :

— Pardon !... » Il s'assura du regard que
Piquereau continuait d'être attentif. « Il y a deux
ans, je crois bien, ou à peu près, un capitaine, un
Français, avec toute une bande de Champenois, a
voulu s'installer ici, sans écouter aucun avis. Sur
cinquante hommes, il lui en est mort vingt-cinq.
Après il était furieux. Il disait : « Votre gouverneur n'a pas crié assez fort. Il aurait dû nous
empêcher d'entrer. C'est un piège qu'une maison
pareille ! C'est une embuscade ! » Il appelait
cela : « Une embuscade de la peste ! » Quelle
mauvaise foi abominable ! M. le Gouverneur ne
veut plus qu'on lui fasse de reproches pareils.

Le lieutenant semblait tout pensif. Il s'approcha du pavillon de droite, qui était le siège principal de l'agitation.

— C'est donc ici que vous allez nous loger ?

— Oui... J'avais fait aménager encore deux pièces dans le pavillon d'en face ; pour le cas où vous auriez été plus nombreux. Nous avons préparé aussi quelques boissons et victuailles. Vos hommes ont probablement faim et soif. Piquereau, occupe-toi d'eux. » Ils entrèrent dans le premier pavillon, et jetèrent un coup d'œil sur un alignement de paillasses. « Quant à vous, monsieur l'officier, vous ferez comme il vous plaira. L'on vous a dressé un bon lit dans une petite chambre au premier étage de ce même pavillon. Mais je préférerais vous recevoir dans le pavillon que j'occupe moi-même. Vous y serez mieux. Quant au repas, M. le Gouverneur espère que vous lui ferez l'honneur de vous asseoir à sa table. Je vous y accompagnerai. » Ruchard esquissa un nouveau salut : « Cela nous donnera l'occasion de parler de nos affaires.

Ils revinrent dans la cour.

Le lieutenant souriait, visiblement touché, et presque décontenancé par tant de courtoisie. Il dit, sur le même ton mi-plaisant mis-sérieux qu'un peu plus tôt :

— Mais moi... vous ne craignez pas qu'en allant par là j'attrape toutes ces pestes ?

— Oh ! » répliqua Ruchard, « nous parvenons

bien, vous voyez, nous autres qui dirigeons cet éta-
blissement, à ne pas périr. Nous sommes habitués
à prendre des précautions. Et quand nous avons
un hôte distingué, dont nous pouvons nous occuper spécialement » il fit encore un petit salut, « et
que de plus son éducation même rend plus docile
aux conseils qui lui sont donnés dans son intérêt,
nous pensons qu'il s'en tirera aussi bien que
nous... » Il prit un accent de confidence : « Ce
qui est redoutable, c'est d'avoir à se préoccuper
de ce que font ou ne font pas toute une quantité
de gens, forcément mal dégrossis ou étourdis... »
Il conclut avec gaîté : « Et puis vous avez l'air,
monsieur l'officier, d'un esprit équitable. Vous
serez témoin que nous n'avons pas cherché à vous
dissimuler les risques.

Le lieutenant réfléchit encore :

— Bon, bon. » Son regard rencontra un des
deux hommes qui avaient fait partie du poste,
avec Piquereau, et qui, à ce moment, pour mieux
prêter la main au dernier travail d'installation, se
débarrassait, sur un banc de pierre, de la vieille
épée et du pistolet dont on l'avait décoré. « Vos
gens sont donc armés ? » dit-il.

Ruchard éclata de rire :

— Assez peut-être pour faire peur aux oiseaux.
Et je crois bien que vous avez là près de la moitié
de notre garnison.

Il ajouta :

— Si la vue de guerriers pareils vous donnait des craintes, vous pourriez vous faire escorter, durant toutes nos allées et venues, par deux de vos hommes. Nous les logerions près de vous. Seulement dites-leur bien de ne pas se promener au hasard.

— Oh !... c'est plutôt qu'ils s'étonneraient en me voyant partir seul. Il faut aussi que j'explique la chose à mon sergent.

Il parla au sous-officier, en dialecte. Sur un ordre qu'ils reçurent, deux hommes occupés à boire se détachèrent de la patrouille.

— Qu'ils ne se tourmentent pas pour leur nourriture » dit Ruchard. « Ils trouveront ce qu'il faut là-bas.

— Ce n'est pas à la nourriture qu'ils pensent. Mais eux aussi ont entendu parler de la peste.

— Recommandez-leur bien de marcher exactement sur nos traces, et arrivés là-bas, de ne pénétrer nulle part avant que je leur aie dit qu'ils peuvent le faire sans danger. Piquereau ! passe devant nous. Annonce que nous sommes en chemin. Et qu'on ne s'arrange pas pour faire, juste à ce moment-ci, des transports de malades, ou de linge sale !

XXIV

Ils avaient devant eux, et de part et d'autre du chemin, de beaux arbres, dont la lumière du soir touchait la cime.

— Quelle époque absurde ! » dit le lieutenant. « Penser que je suis ici, à faire ce métier !

— Vous n'êtes donc pas soldat de vocation ? » dit Ruchard avec prudence.

— Soldat ?... Vous appelez cela soldat ?

Le lieutenant secouait les épaules. Il continua :

— Tenez, cette fois-ci, nous étions attendus, à ce qu'on nous disait, quelque part entre Troyes et Paris. La situation a changé, sans doute. Le commandant n'ose pas nous le dire, mais j'ai idée que maintenant nous allons errer au hasard. Et comment errer au hasard sans vivre de brigandage ? Si nous n'étions pas à une époque de fous, je serais en ce moment premier vicaire d'une bonne paroisse de mon pays... en passe de devenir curé... ou encore dans une abbaye, à faire des études grecques.

— Des études grecques ?

— Cela vous étonne ?

— C'est-à-dire que j'étais frappé d'une coïncidence curieuse, que je vous expliquerai tout à l'heure.

— Tel que vous me voyez, je suis un ancien étudiant en théologie. Oui. J'ai fait mes études à Bâle. Je suis trop jeune pour avoir connu Erasme. C'est dommage... Il m'aurait peut-être préservé de mes folies. J'ai vécu aussi à Genève. C'est même là que j'ai fini d'apprendre le français. Comment trouvez-vous que je le parle ?

— Mais très bien ! L'on remarque à peine votre accent.

— Depuis que nous sommes en France, on me choisit souvent, à cause de cela, pour commander ces patrouilles qui ont à discuter, à se renseigner. Notre commandant est une brute, si l'on veut, mais ce n'est pas tellement un mauvais homme. Ce sont les circonstances. Moi j'ai bien cru un moment que j'allais avoir une existence beaucoup plus intéressante, tout en servant mieux la cause de la vraie religion. Il y a aussi la sottise de la jeunesse, il faut bien le dire, le goût de s'agiter.

Le lieutenant fit quelque pas en silence.

— Savez-vous pourquoi » dit Ruchard, « j'ai fait une exclamation à propos des études grecques ?

— Parce que vous en faites aussi ?

— Non. Mais je vous ai parlé de ce pavillon,

où vous me feriez peut-être l'honneur de loger avec moi ?

— Oui.

— L'étage au-dessus du nôtre est occupé par un vieux gentilhomme de grande distinction, qui s'occupe à une traduction de Lucien de Samosate.

— Mais lui n'est pas pestiféré... ni même malade ?

— Non. Un peu infirme des jambes, tout au plus, en raison de rhumatismes. C'est un homme délicieux, que vous serez ravi de connaître.

— Pourquoi loge-t-il de ce côté-ci, puisque c'est paraît-il celui des pestiférés ?

Ruchard fut un peu embarrassé. Il chercha une explication à la fois plausible et rassurante :

— Parce qu'il faut bien me loger par ici, moi, qui ai à m'occuper de l'administration, et que ce pavillon est trop grand pour moi. D'ailleurs vous n'imaginez pas combien à la longue l'on devient insouciant quand il ne s'agit plus que de la santé personnelle. L'on en arrive à penser que les maladies ne sont pas faites pour vous. Et il faut croire que le corps lui-même s'endurcit. M. de Sarolière — c'est le nom de ce gentilhomme — ne pense guère à la peste, je vous assure. Je ne sais même pas s'il pense beaucoup à ses rhumatismes. Sa traduction l'occupe davantage.

Le lieutenant paraissait très intéressé par le propos.

— Et vous ? » dit-il. « Vous n'avez pas toujours été ici ?

— Oh non ! J'étais avocat de profession, mais surtout maire d'une ville, vous savez : bourgmestre.

— Oui, je sais. Qu'est-ce qui vous a conduit ici ?

Ruchard fit un geste de vague désinvolture.

— Les événements.

— J'ai entendu raconter » dit le lieutenant avec précaution, « que l'hospice était très riche ; et même, ce que je ne comprends pas très bien, qu'on y menait une bonne vie. Oui, les gens vous en parlaient avec des airs entendus.

Ruchard mit dans sa réponse tout un air de vérité, et même de confidence :

— L'hospice est riche » dit-il. « L'institution, qui est vieille de plusieurs siècles, a recueilli toutes sortes de dons. Mais notre fortune n'est pas ici. Elle est à Dijon, entre les mains de notaires. Ici nous ne gardons pour ainsi dire pas d'argent. Tous nos paiements un peu gros se font là-bas... Etant riches, nous ne lésinons point. Nos malades sont traités comme ils ne le seraient nulle part ailleurs... » Il baissa la voix : « Je vais même vous dire ceci, qui est un secret : plusieurs personnes, qui étaient entrées ici comme malades, sont restées, après leur guérison.

— Parce qu'elles s'y plaisaient ?

— Oui. L'époque, comme vous l'observiez

vous-même, est si odieuse... Il y a des gens qui préfèrent le voisinage de la peste à celui d'autres abominations... » Il insinua tout bas : « Nous avons ici, ne le répétez pas, une petite société, oh ! toute petite, mais pleine d'esprit, et où vivre a du charme, si étonnant que cela puisse paraître.

Le lieutenant hochait la tête avec mélancolie.

— Oui, mais ces personnes dont vous parlez » demanda-t-il d'une voix elle aussi confidentielle, « avaient sans doute de la fortune ?

— Certaines, oui... Mais, vous savez, dans cette maison, ce n'est pas cela qui compte. L'hospice lui-même est si riche. La distinction et la culture de l'esprit, les qualités du cœur, les bonnes manières, importent plus.

Ils firent encore quelques pas en silence. On apercevait les bâtiments du Prieuré et de la Demi-lune, dans le soir tombant.

— Comme c'est beau ! » dit l'officier. « Comme c'est paisible !

— Oui... Si vous voulez bien, nous allons quitter le chemin proprement dit et faire un léger détour. Quand je suis seul, je passe tout droit. Mais je ne voudrais pas que pour une première visite vous fissiez la moindre imprudence. Le chemin frôle d'un peu trop près, à mon avis, ces pavillons où sont quelques-uns de nos malades les plus contagieux. Tandis qu'au prix d'un allongement insignifiant, nous allons joindre une bande de prairie qui est connue comme très saine.

Le lieutenant se retourna pour voir si les deux soldats marchaient à la distance convenable et s'avisaient du changement de direction. Puis il soupira.

— Ils ont l'air bien beaux, ces bâtiments là-bas. Cela me rappelle des choses dans la ville haute, à Bâle... Vous-même, vous vous plaisez ici ?

— Certes.

— Vous ne regrettez pas le temps où vous étiez bourgmestre ?

— Oh non !

— Et... » il affecta de ne pas prendre cet aspect de la question trop au sérieux, « vous ne vivez pas dans la terreur constante des maladies ?

— Je vous le disais : l'on s'habitue.

— Oui... Et puis péril pour péril... Dans ma situation actuelle, je puis me dire chaque matin que je serai mort avant le soir.

— N'est-ce pas ! » dit gaîment l'ancien maire.

— Et je n'ai pas la consolation de faire des choses intéressantes, ou de causer avec des gens d'esprit, dans la journée.

Ruchard n'ajouta rien. Ils arrivèrent au bout de prairie qu'il avait désigné. Le lieutenant méditait, la tête penchée en avant, les mains derrière le dos.

Soudain il s'arrêta, jeta un coup d'œil du côté de ses hommes, leur indiqua d'un petit mouvement de la main qu'ils eussent eux aussi à ralentir ; puis dit à voix basse, mais d'un ton très décidé :

— Nous pourrions nous rendre l'un à l'autre un grand service.

— Oui ? Mais avec plaisir !

— Vous comprenez que moi, je pourrais vous ennuyer de mille façons.

— Je le comprends très bien.

— Voici : imaginez que ce soir je ne me sente pas bien... oui... qu'une fois couché dans cette maison où vous me logerez près de vous, je fasse appeler le médecin. Et que demain matin on annonce aux hommes de ma patrouille que j'ai tous les signes d'une de vos maladies les plus graves : de cette fameuse peste froide, par exemple.

— Oui, oui.

— Moi-même demain matin je suis censé avoir encore la force d'écrire un message pour notre commandant — message que l'on confie au sergent, et où je dis : « Très malade. Je préfère renvoyer les hommes. Je conseille d'éviter l'hospice et tout ce qui en vient, par tous les moyens possibles. » La personne de chez vous qui remet mon papier au sergent ajoute même : « Dès que vous serez au moulin, ne laissez pas les hommes de la patrouille approcher leurs camarades tant que...

je ne sais pas... tant qu'ils ne seront pas restés un bon moment dans de la vapeur de soufre. »

— Je doute qu'au moulin ils trouvent du soufre. Mais rien ne nous sera plus facile que d'en donner tout un bâton au sergent.

— Eh bien ! qu'est-ce qui en résultera pour vous, ici ?

— Des choses excellentes, je le reconnais.

— Toute la bande déguerpira sans demander son reste. Ils auront si grand-peur de l'hospice qu'ils ne trouveront jamais que le chemin pour repartir en passe assez loin. Ils ne vous réclameront même aucune espèce de ravitaillement, tant ils seront persuadés que la peste peut se transporter jusqu'à l'intérieur d'un jambon, ou d'un baril.

— Mais ils ne s'inquiéteront pas de vous ? Ils ne voudront pas venir voir comment vous êtes ? ni attendre peut-être que vous soyez rétabli ?

— Peuh ! Ils trembleront de m'approcher même à cinquante pas. Et pour ce qui est de s'apitoyer sur mon sort, ce n'est guère le genre qui règne chez nous. Je serai une perte de plus, survenue en route. Un infime détail.

— Ils ne risquent pas non plus de croire que le message est apocryphe, ou que c'est nous qui vous l'avons dicté, un pistolet à la main ?

— C'est pour cela que j'ai bien fait de prendre ces deux hommes à ma suite. Quand je serai couché, je les ferai appeler. Je leur dirai : « Décidément, cela ne va pas. Je commence à sentir une grande lourdeur de tête. Venez me voir demain au réveil. » Et demain, à l'entrée de ma chambre, on leur criera : « N'approchez pas. Faites signe à votre officier de là où vous êtes, si vous voulez. Mais allez vite porter ce message au sergent. » Au besoin, s'ils ne comprennent pas, je leur lancerai de mon lit deux ou trois mots en dialecte, d'une voix épuisée, et j'ajouterai : « Ici très gentils avec moi. Très bien soigné. Partez vite. »

Le lieutenant se mit à rire malgré lui. Mais Ruchard, qui le regardait attentivement, fut surtout frappé de ce qu'il y avait d'amitié, d'imploration, d'espérance, dans ses yeux.

Il dit simplement :

— Je crois que cela peut s'arranger très bien.

— Je puis compter sur vous ? Quand je me serai ainsi remis entre vos mains, vous ne me maltraiterez pas, sous prétexte qu'auparavant j'ai pu commettre ceci ou cela, me prêter à ceci ou à cela ?

— Vous avez ma parole d'honneur. Le service que vous nous rendez est immense. Vous serez traité par nous, comment dire ? fraternellement. Si qui que ce soit vous manquait d'égards, il aurait affaire à moi. Le gouverneur lui-même est un homme plein d'honneur et de générosité.

— Et vous pensez que ce monsieur qui loge au-dessus de vous... qui traduit Lucien de Samosate, voudra lier connaissance avec moi, et me remettre un peu sur le chemin des études grecques ?

— Il en sera ravi. Même vos histoires... militaires le combleront d'aise. On n'aime point trop y assister dans la vie. Mais le récit en est souvent plein d'attrait... Voulez-vous, quand nous serons à ce grand bâtiment, que nous appelons le Prieuré, je vous laisserai un instant dans le vestibule, avec vos deux hommes. Oh ! vous verrez, c'est très majestueux. Vous n'aurez pas l'air, là-dedans, d'un visiteur sans dignité. J'irai expliquer la situation au gouverneur, en stricte confidence.

— Dites. Pourquoi ce nom de gouverneur appliqué à un homme qui ne fait en somme que diriger un hospice ?

— Je ne sais pas trop. Cela remonte loin... A cause, probablement, de l'importance du poste. Vous savez que c'est un grand personnage.

— Oui, oui... Dites encore. Mes hommes nous regardent. N'ayons pas l'air de nous disputer, non. Mais discutons avec animation. Faisons des gestes. Comme si par exemple, vous me disiez, vous : « C'est beaucoup trop ! Ce n'est pas raisonnable ! » et que je vous réponde : « Je suis désolé. Mais c'est comme ça. »

Ils gesticulèrent une bonne minute. Puis ils reprirent leur marche.

— Je vais vous conter » dit Ruchard, « une histoire qui s'est produite ici tout récemment.

Il relata en peu de mots l'histoire de Jeanne de Meyrueis. Il ne crut pas utile au bien général de souligner que sa rencontre avec Jeanne s'était faite au moulin, ni de révéler du même coup que son propre séjour à l'hospice datait de si peu.

Le lieutenant dit qu'il lui semblait avoir déjà entendu parler de la Pucelle des Cévennes ; mais de la façon la plus vague.

— Vous ne croyez pas » lui demanda Ruchard, « qu'hier, après nous avoir faussé compagnie, elle ait pu être capturée par des hommes de chez vous ?

— Certainement pas. Ils nous l'auraient amenée.

— Ils n'étaient pas capables, par exemple, de la violer dans les bois, puis de la tuer et de la laisser sur place ?

Le lieutenant pesa la chose, et dit avec modération :

— Je ne pense pas.

— Et comment vous expliquez-vous, au total, sa conduite, ses revirements ?

— Ce doit être une petite personne peu commode.

— J'entends bien. Mais en particulier, pourquoi nous a-t-elle abandonnés, après avoir accepté notre protection ?

— Vous êtes trop amis de la paix.

— C'est l'avis de M. de Sarolière, mon voisin l'helléniste. Et pourtant, si vous l'aviez entendue quand elle est arrivée ! Comme elle reniait ces enragés de la montagne, à qui la religion servait de prétexte, et qui se battaient pour le plaisir de se battre... qui ne luttaient contre l'oppression que pour opprimer à leur tour.

— Vous savez, ceux qui vraiment sont des aventuriers dans le sang — je peux en parler, j'en ai connu quelques-uns, vous le pensez bien — cherchent souvent à se tromper eux-mêmes quand ils ont besoin de se lancer dans une nouvelle aventure. Votre demoiselle en avait assez de sa petite guerre dans la montagne. Il lui fallait autre chose ; elle ne savait peut-être pas bien elle-même quoi. Elle a trouvé de beaux prétextes religieux pour s'enfuir de là-haut. Soyez sûr qu'elle en a trouvé d'aussi beaux pour s'enfuir de chez vous.

— Peut-être. J'aimerais me dire en tout cas qu'elle n'est pas allée se faire tuer en sortant d'ici.

— Oui... Et ce que vous êtes peut-être en train de vous dire également, c'est que moi aussi je suis un aventurier, et qu'un jour je vous quitterai de la même façon ?

— Ce jour-là nous n'aurons aucun reproche à vous adresser. Vous ne romprez aucun engage-

ment. Cette jeune fille n'en avait pris aucun non
plus, d'ailleurs.

— Voyez-vous, moi, je ne suis pas au fond un
aventurier. C'est par hasard que j'ai adopté cette
vie. Je vous répète que j'étais fait pour l'étude.

— Je vous crois. Mais nous voici arrivés. Je
vais vous installer dans le vestibule. Placez vos
deux hommes près de vous. Qu'ils n'aillent pas
se promener ici ou là. Je puis mettre M. le Gouverneur tout à fait au courant, n'est-ce pas ?

— Oui, oui.

— Soyez tranquille. Tout se réglera on ne peut
plus discrètement.

XXV

— Je vous ai prié à dîner tout simplement » dit le gouverneur, « dans cette petite salle. Comme nous ne sommes que nous trois, et que nous avons des choses confidentielles à nous dire, la conversation sera plus tranquille. Je vous demande même de vous en tenir à des propos sans importance chaque fois que les serviteurs seront là.

Il se fit confirmer l'histoire et la situation du lieutenant. Puis :

— Je ne doute pas de votre véracité. Certains vous diraient que la vie que vous avez acceptée de mener montre qu'il y a dans votre caractère des rudesses, des appétits de violence, un mépris des occupations paisibles, qui ne vous permettront guère de vous plaire ici. Certes l'exemple de notre Jeanne d'Arc des Cévennes à cet égard est peu encourageant. Car il n'est pas douteux qu'elle s'est éloignée de son plein gré. Mais il n'y a jamais deux cas identiques. Cette jeune fille ne voyait que faire parmi nous.

— Elle pouvait se consacrer aux malades.

— Oui... oui... ce n'était sans doute pas sa vocation.

— M. de Sarolière » dit Ruchard, « prétend que l'un de nous aurait pu se dévouer à la rendre amoureuse...

— Et il a dû insinuer » répliqua le gouverneur, « qu'à vous peut-être le dévouement eût été facile ? Mais vous n'imaginez pas combien certaines de ces huguenotes sont coriaces. On jurerait que les lois de la nature n'ont pas été faites pour elles... Pardon, monsieur l'officier. J'oubliais que vous-même êtes huguenot.

Ils s'égayèrent. Le lieutenant fit observer d'abord qu'il n'était pas huguenot ; puisqu'à la rigueur le terme ne s'entendait que des calvinistes. Ensuite, comme il avait eu lui-même bien des accointances avec diverses sectes de la Réforme, il avait pu constater entre elles de grandes différences d'humeur. Les protestants de Genève lui semblaient de beaucoup les plus austères, les plus durs à entamer. Ceux des Cévennes devaient être de même trempe.

— Et dans votre petite armée » demanda Ruchard, « y a-t-il une confession dominante ?

Le lieutenant haussa les épaules :

— Ils sont pour la plupart luthériens en principe. Mais nous avons un peu de tout. Leur vrai caractère commun, c'est d'être des bandits.

Il ajouta :

— Oh ! de moi aussi, naturellement, on peut dire que je suis devenu un simple bandit. Vous m'avez demandé tout à l'heure, monsieur Ruchard si ce n'était pas ma vocation d'être soldat. Je ne sais. Mais sûrement ce n'était pas ma vocation d'être bandit. A un moment j'ai pris le mauvais chemin. Quel est le jeune homme qui ne s'est pas senti un jour un peu fou, qui n'a pas rêvé de courir le monde ? Mais à une autre époque, j'aurais pu faire une fredaine, et revenir ensuite à la vie qui était faite pour moi. Chanoine à Bâle ! Je n'aurais jamais rien rêvé de mieux. L'air de l'époque m'a empoisonné.

Puis il demanda s'il ne leur serait pas bientôt à charge :

— Je n'ai pas deux sous vaillants. Pour le moment vous m'offrez l'hospitalité. Mais ensuite ? Que ferez-vous de moi ? » Il se mit à rire, en cachant mal son inquiétude. « Il est vrai que vous serez facilement débarrassés de moi ! Une de vos pestes ou une autre... Qui s'occupera de retrouver mes traces ?

Le gouverneur, échangeant un clin d'œil avec Ruchard, dit au lieutenant que s'il voulait bien suivre leurs avis, et acquérir l'esprit du lieu, il s'étonnerait de voir, dans seulement quinze jours, comme le spectre de la maladie cesserait d'être effrayant. Puis il le rassura sur l'autre point :

— Si vous obtenez que toute la bande de vos compagnons s'écarte sans nous avoir fait de mal, sans même nous avoir imposé tribut, vous nous aurez rendu un service très considérable. Une hospitalité de toute une vie que nous vous offririons ne paierait pas notre dette. Et puis, soyez tranquille. M. de Sarolière ne vous tiendra pas courbé sur son grec du matin au soir. Vous aurez maintes occasions d'être utile. Regardez M. Ruchard. Quand il est arrivé, il se considérait lui-même comme un simple réfugié, dont nous aurions à porter tout le poids. Et maintenant, c'est une des colonnes de la maison.

Ils réglèrent les derniers arrangements. Il fut convenu que le lieutenant ressentirait les premiers malaises avant d'avoir quitté la table ; qu'on le conduirait au pavillon de Ruchard pour qu'il prît le lit, et qu'on ferait appeler l'un des médecins, en déployant toute la hâte et l'ostentation de zèle qu'il se pourrait.

*   *
    *

Ce fut à peu près ce qui eut lieu. On tira les deux soldats du coin où ils étaient à boire pour les faire assister au passage de leur officier chancelant, qui les regarda comme s'il les reconnaissait à peine, et balbutia quelques mots en dialecte. Mais comme ils ébauchaient, avec une

répugnance visible, un mouvement vers lui pour
lui offrir le soutien de leurs bras, on leur fit comprendre que c'était folie de leur part que de
s'exposer à un risque pareil, et que la tâche revenait à des infirmiers endurcis.

Les deux soldats, vite dissuadés, posèrent alors
une question en dialecte. Ruchard appela doucement l'attention du lieutenant sur eux.

— Ils demandent » dit le lieutenant d'une voix
faible, « s'il ne vaut pas mieux qu'ils aillent coucher là-bas, avec les autres, près de la porte. Ils
ont peur, n'est-ce pas.

— Vous le leur permettez ?

Il fit « oui » de la tête.

Au prix d'un effort de compréhension mu-
tuelle, les deux soldats saisirent qu'ils avaient
l'ordre de se présenter, le lendemain matin, au
pavillon de Ruchard pour y prendre des nouvelles
de leur chef. On réussit encore à leur faire entendre qu'il suffirait qu'un seul des deux revînt, et
personne d'autre. Moins l'on exposerait de gens
à la contagion, et mieux cela vaudrait. On leur
donna même une fiole, d'un liquide très noir,
qu'on leur prescrivit d'absorber dès qu'ils seraient
de retour à la conciergerie.

* * *

Ruchard avait logé le lieutenant dans la chambre de Piquereau, lequel n'eut pas de peine à

trouver un lit au second étage du Prieuré. M.
de Sarolière, mis aussitôt dans la confidence, vint
voir le prétendu pestiféré, et engagea la conversation sur les études antiques. Le lieutenant ne
cacha pas que ses souvenirs en la matière étaient
déjà lointains et confus. Il souligna qu'il n'avait
jamais été qu'un apprenti. Mais pourtant sa façon
de saisir telle ou telle allusion, plusieurs noms
propres qu'il cita, montraient bien qu'il n'avait
pas menti en se targuant d'une jeunesse écolière.
De temps en temps, il baissait la voix, et semblait
épier les bruits d'alentour.

— Je ne suis pas tranquille tant que je ne les
sais pas partis.

Le lendemain matin, l'on s'attendait au retour
d'au moins l'un des deux soldats, en se deman-
dant si le sergent ne tiendrait pas à l'accompagner. Le soleil était déjà haut que personne
n'avait encore paru. L'on envoya Piquereau aux
nouvelles. Il revint en annonçant que toute la
patrouille avait déguerpi dès les premières lueurs
de l'aube, en sommant le petit Boniface de les
reconduire au moulin par les voies les plus
courtes.

— Mais pourquoi les gardiens ne nous ont-ils
pas aussitôt prévenus ?

— Ces vieux bonshommes » dit Piquereau, « se
seraient peut-être dérangés s'il s'était produit
quelque chose d'inquiétant. Ils ont jugé que ce

départ imprévu était tout le contraire ; donc qu'il n'y avait pas lieu de vous alerter.

L'on demanda au lieutenant ce qu'il en pensait.

— Toute la volée a pris peur, voilà tout, et n'a eu qu'une idée : s'écarter le plus tôt possible de cet endroit. Ils seraient repartis dès hier soir, s'ils n'avaient pas craint de se perdre dans la nuit.

— Mais votre commandant, là-bas, ne va-t-il pas trouver que la situation n'est pas claire ? Ne va-t-il pas réexpédier d'autres de vos gens pour avoir plus d'informations, ou pour exiger au moins quelques livraisons de vivres ?

— Je ne crois pas. Il n'aura pas pu empêcher que les hommes de la patrouille communiquent leur terreur à leurs camarades. Il ne trouverait personne qui acceptât de monter. La discipline dans les troupes de ce genre, vous savez, est très particulière.

— Mais vont-ils vous abandonner comme cela, vous ?

— Oh ! très facilement. Dans la bataille, il est entendu qu'on ne lâche pas un camarade... surtout un officier. Il y a tout de même un honneur du champ de bataille. Mais en dehors de cela ! Une vie compte si peu ! » Il ajouta non sans mélancolie : « Je n'avais pas de vrais amis parmi eux, vous comprenez... De quoi leur aurais-je parlé ? Aucun d'eux ne tient à moi.

Plus de la moitié du jour se passa dans une attente qui n'avait pas d'objet précis. Les gens du Prieuré, ceux des pavillons, connurent bientôt dans tout son détail l'étonnante aventure du lieutenant et de la patrouille. Plusieurs s'écriaient déjà que la comédie de la peste était désormais inutile. Quelques dames surtout, après s'être infiniment diverties à la mise au point des préparatifs, trouvaient bien moins amusant de rester figées dans leur déguisement, et à leur place du tableau. Le gouverneur dut faire un tour des pavillons et réprimander les impatients.

— Nous n'avons aucune espèce de certitude ! » s'épuisait-il à répéter. « Tout est encore possible. Le lieutenant lui-même est de cet avis. Il y a certes de grandes chances pour que toute la bande s'éloigne. Mais le sergent ou les hommes ont pu observer au passage des choses qui leur ont paru suspectes. Ou le commandant peut vouloir ne pas se tenir si vite pour battu. Si une nouvelle patrouille est envoyée, elle risque d'être plus méfiante, d'avoir les yeux mieux ouverts. Je vous supplie de rester sur le qui-vive.

XXVI

Vers le milieu de l'après-midi, une rumeur se mit à courir avec tant de vitesse et d'agilité qu'aucune prudence humaine n'aurait pu la retenir :

— La fumée blanche ! La fumée est devenue toute blanche. Les hommes de la tour carrée disent qu'il monte une fumée blanche, large comme la moitié d'une maison, et sans aucune trace de noir au dedans.

Le gouverneur se dépensa une fois de plus, en se faisant aider par Ruchard, par le sous-intendant, par celui des deux médecins qu'il avait gardé près de lui, pour tempérer l'effet de cette nouvelle.

— Ne bougez pas encore ! Ne touchez encore à rien. J'envoie aussitôt Prosper et Piquereau, à cheval. Maître Cornaboux leur dira exactement ce qu'il en est. Ne perdez pas de vue que ces Impériaux sont capables de tout, même d'une ruse qui n'aurait rien de sorcier, et qui serait de se présenter à la façade principale de l'hospice,

sans qu'on les attende ; une fois là de recommen-
cer leur enquête, d'interroger nos gens en les
secouant beaucoup plus, de fouiller le domaine à
loisir... Ils peuvent même en chemin recueillir des
avis charitables. Tout le pays n'est pas peuplé de
nos amis...

Piquereau revint seul, à la tombée de la nuit.
Son rapport était de bon augure, mais non encore
décisif. La troupe avait décampé tout entière,
vers l'heure de midi. Leur intention déclarée était
de rattraper la grande route, et de filer vers la
région de Troyes, sans faire aucune nouvelle ten-
tative du côté de l'hospice, dont la seule idée leur
inspirait une horreur manifeste. Par ce qu'on
avait pu saisir de leur baragouin, ils semblaient
même s'être persuadés maintenant que les gens,
qui, lors d'une étape précédente, leur avaient
parlé de l'hospice et des mirifiques découvertes
qu'on y pouvait faire, les avaient dirigés tout
exprès vers un piège mortel. Sous prétexte de
leur donner un guide, Cornaboux les avait fait
accompagner un bout de chemin par Boniface,
le petit garçon d'écurie ; Boniface était rentré en
affirmant que les Impériaux avaient pris la direction de Troyes. C'est alors que Cornaboux n'avait
pas résisté au plaisir de lancer la fumée blanche.
Mais il avouait maintenant qu'il s'était un peu
pressé, et il était d'avis que l'un des valets —
sinon les deux — se mît sur la piste des soldats,

qui ne devaient pas être encore bien loin, vérifiât
la direction qu'ils prenaient, les suivît au besoin
jusqu'au cantonnement du soir, et ne consentît à
les lâcher qu'après qu'ils auraient largement
dépassé tout chemin de côté ramenant vers l'hospice. Prosper, bien que recru de fatigue, s'était
chargé de la mission. Lui seul connaissait le pays.
Pendant ce temps Piquereau se rendrait plus utile
en retournant au Prieuré pour porter les nouvelles. Prosper comptait ne se présenter à l'hospice que le lendemain matin, et par la façade
principale, puisque c'était sûrement de ce côté
que l'entraînerait sa poursuite. Il tâcherait de
passer la nuit dans une ferme, aussi près que
possible des Impériaux.

Le gouverneur voulut communiquer lui-même
la substance de ces nouvelles aux habitants du
Prieuré et des pavillons. Il appuya sur les élé-
ments d'incertitude. Le repentir éprouvé en dernier lieu par Cornaboux montrait bien que la
conduite des Impériaux laissait encore place à un
doute.

Il ne réussit pas à prévenir tout à fait un relâ-
chement des préparatifs, des attitudes, de la
vigilance. Il y eut entre les pavillons échange de
visites, avec beaucoup de babil et de rires. L'on
improvisa des facéties de complément, qui
aidaient à prendre patience, mais ôtaient de la
vraisemblance aux effets acquis.

Le gouverneur eut à soutenir le lendemain
matin de nouveaux assauts, d'un esprit tout différent. Prosper venait de rentrer. Il avait assisté au
départ des Impériaux de leur cantonnement et
n'avait cessé de les suivre qu'après les avoir vus
dépasser de plus d'une lieue l'embranchement
suspect. Aucune prudence humaine ne pouvait
demander davantage. Les dames déclarèrent que
depuis l'apparition de la fumée blanche elles
n'avaient jamais douté que les choses tourne-
raient ainsi, et qu'on les avait simplement empê-
chées de se réjouir au moment où la bonne
nouvelle avait sa fraîcheur, et la joie sa première
vivacité. Le gouverneur promit que la célébration
de la délivrance n'y perdrait rien, et qu'on allait
y apporter autant de soin qu'on l'avait fait à
déjouer le péril. Mais là-dessus les dames se
lamentèrent. Tout ce beau spectacle, qui leur
avait coûté tant de peine, tant d'ingéniosité,
même tant de sacrifices de coquetterie et d'amour-
propre, à quoi avait-il servi ? Pas même à tromper le lieutenant qui, bien loin de mettre en
doute les horreurs dont on lui parlait, n'avait
songé qu'au moyen d'évasion qu'elles lui offraient
tout à coup. Ces dames étaient ainsi volées de
toutes les formes de récompense.

— Que voulez-vous ? » leur dit le gouverneur.
« Les défenseurs d'une place, quand l'ennemi se
décide à lever le siège, se retrouvent avec cent

préparatifs, cent stratagèmes sur les bras, qui auraient fait merveille en cas d'extrême nécessité. Ils peuvent avoir un petit regret. Mais ils sont délivrés ; c'est le principal.

L'une des plaignantes eut une idée :

— Il ne faut pas nous décourager. L'on peut avoir besoin de notre zèle une autre fois. Amenez le lieutenant, avant que nous n'ayons tout défait. Qu'au moins nous jouissions un peu de sa mine. Songez que ce sera la première personne vraiment du dehors que nous aurons eue pour spectateur ; et la seule. L'épreuve aura même beaucoup de prix.

— Vous n'oubliez pas qu'il est censé trembler dans son lit, hors d'état de se tenir debout !

— Chacun ici sait ce qu'il en est. Pour qui continuerait-il à feindre ?

— Bon. Mais si je lui parle de cette expédition, il va pousser des cris d'épouvante ; lui croit encore mordicus à ce que nous lui avons conté.

— Vous serez bien amené à le détromper un jour ou l'autre !

— Si je le détrompe avant cette visite que vous demandez, l'épreuve ne vaudra pas.

Ces dames supplièrent le gouverneur de trouver un biais. Il s'ouvrit à Ruchard de la difficulté. Il crut même bon d'aller en toucher deux mots à M. de Sarolière.

— Il s'agit en somme du moral de notre gar-

nison » dit ce gentilhomme. « N'en faites pas fi.
Pourquoi ne conteriez-vous pas au lieutenant que
vous vous proposez d'aller faire visite à certains
malades, qui, tout en étant de beaucoup les moins
dangereux à approcher, sont de ceux dont le sort
vous préoccupe le plus... parce que de longues
souffrances les ont affaiblis... et aussi mon Dieu !
parce qu'ils comptent dans leur nombre de jeunes
et charmantes femmes, ou qui l'étaient naguè-
re ?.. Ces malades ont appris la menace qui pesait
sur l'hospice, et la présence même du lieutenant.
Mais cette présence, ils l'interprètent de travers.
Ils croient qu'on leur cache la situation véritable ;
que l'hospice est déjà au pouvoir de l'ennemi,
que les massacres ont commencé, et que leur tour
va venir. Vous attribuez ces désordres d'imagina-
tion à la maladie ; et vous faites valoir que si le
lieutenant vous accompagnait dans votre visite,
il accomplirait un acte de charité chrétienne. Sa
seule vue et l'air de bienveillance qu'il montre-
rait feraient plus que tous vos discours...

M. de Sarolière réfléchit encore, et ajouta :

— Si votre lieutenant objecte qu'on le répute
lui-même trop malade pour qu'il puisse décem-
ment courir les chemins, nous lui dirons que la
fable est aisée à corriger : l'accès qui l'a frappé
n'aura été qu'une fausse alerte. Au surplus il doit
bien s'attendre à ce que le vrai de sa conduite,
qui est tout à son honneur, ne reste longtemps un

mystère pour personne d'ici. Qu'a-t-il à craindre
de ce côté ?... Si c'est d'approcher les malades
qui l'épouvante, je m'offrirai à être aussi de la
partie, avec ma mauvaise jambe et ma béquille.
Car pour la circonstance, c'est ma béquille que
je prendrai. Tant de gaillardise lui fera honte.

* *
*

Le petit cortège sortait du deuxième pavillon.
— Pardonnez-moi » dit le lieutenant dont le
visage eût suffi à trahir ce qu'il éprouvait, « je ne
puis pas continuer. J'ai vu dans ma vie des scènes
de carnage bien horribles. Mais rien ne soulève
le cœur comme ces pustules, et ces pourritures...
et cette odeur infecte. J'admire que vous puissiez
supporter cela.

Ils se retirèrent dans la petite salle aux boiseries du Prieuré. L'on réconforta le lieutenant avec
de l'eau-de-vie. On l'aspergea d'essences odorifé-
rantes.

— En réalité » lui dit le gouverneur un peu
mystérieusement, « ces soins que nous vous don-
nons sont superflus. Nous n'avons couru aucun
danger. Je vous expliquerai cela plus tard.

Le bruit se répandit bientôt, d'un pavillon à
l'autre, que le spectacle avait eu tout le succès
qu'on en pouvait attendre, et que le spectateur
en était si touché qu'il aurait peine à s'en remet-

tre. Cette idée, qui récompensait tant d'ingénieux
efforts, causa presque plus de jubilation que celle
même de la délivrance.

Quand le lieutenant eut un peu retrouvé ses
esprits, Ruchard lui proposa de rentrer à leur
habitation commune.

— Nous allons y examiner votre installation
définitive » dit-il. « Moi, je vous céderai sans
doute mon logement. Car mes occupations vont
m'obliger de plus en plus à me tenir au Prieuré
même. Pour vous, sans parler de la distance où
vous serez ainsi des foyers de maladie, rien ne
peut vous être plus agréable ni plus commode,
étant donnés vos projets, me semble-t-il, que le
voisinage de M. de Sarolière.

Et comme il voyait le lieutenant encore tout
remué, il tâcha d'entraîner la conversation du
côté des études grecques, et des ressources qu'à
cet égard l'hospice pouvait fournir :

— Je me suis encore à peine servi moi-même
de la bibliothèque ; faute de loisirs ; mais je sais
qu'elle est assez riche. Le fonds en a été légué
par le comte de Juzennes. Les revenus de l'hospice permettent d'acheter une bonne quantité de
livres chaque année. M. de Sarolière est la personne que l'on consulte le plus en matière de
choix. C'est dire que les auteurs grecs et tout ce
qui s'y rapporte sont loin d'avoir été négligés.

Mais il s'aperçut que l'offiicier ne l'écoutait

que distraitement, et semblait jeter sur toutes choses autour de lui un regard anxieux.

— Je vois que vous êtes encore un peu secoué » dit-il. « Etendez-vous sur votre lit. Et ne vous tourmentez point pour votre santé. Je vais vous laisser seul quelques quarts d'heure ; je retourne au Prieuré, où M. de Sarolière doit être encore, je pense, auprès de M. le Gouverneur. Vous ne mesurez peut-être pas quel effort s'est imposé M. de Sarolière, ce matin, pour nous accompagner ? A la fin, il était véritablement rompu. Il n'aurait pas pu revenir ici, même en chaise, sans prendre d'abord un peu de repos. J'imagine qu'ils bavardent ensemble.

XXVII

Il trouva en effet le gouverneur et M. de Sarolière dans la petite salle aux boiseries.

— J'en étais à dire à notre ami de Bron » fit
M. de Sarolière qui, assis dans une grande chaise
à bras poussée contre le banc du pourtour, tenait
sa jambe allongée sur le banc lui-même, « que
nous avons presque trop bien réussi. Tout au long
de cette riante promenade, j'ai observé notre
lieutenant. L'aile du doute ne l'a pas effleuré.
Mais il n'en sera que plus humilié s'il apprend
brutalement qu'il a été dupe... Non que je crai-
gne qu'il puisse maintenant nous faire grand mal.
Son sort est lié au nôtre. Mais s'il doit vivre
parmi nous, autant vaut-il, n'est-ce pas, que ce
soit sans qu'il ait à dévorer cette amertume, cette
offense ? Entre parenthèses, j'ai une certaine sympathie pour ce brigand malgré lui, pour cet
helléniste de grand chemin.

— Il est clair » dit M. de Bron, « que nous
aurions moins de scrupules si c'était un pur
maroufle. Mais comment nous en tirer ?

— Que diriez-vous de ceci : Cette après-midi,
je le prends à part, chez moi par exemple, avec
des airs de grande précaution. J'ai soupçon qu'il
me respecte assez. Je lui déclare gravement que
le temps est venu de le mette au courant de certains mystères ; je lui réclame un serment plus
que sacré de ne jamais rien trahir de ce que je lui
révélerai. Notez que l'idée qu'on va être initié
à de profonds arcanes vous détourne l'esprit des
régions où veille l'amour-propre. Je lui explique
alors que nous formons ici une espèce de confrérie secrète, tout à fait distincte de l'hospice,
bien qu'elle vive à son ombre — ce qui, mon
Dieu ! est vrai — et que pour y être admis il faut
subir des épreuves. Ces épreuves, pour qu'elles
soient plus significatives, l'intéressé les passe sans
le savoir. L'une d'elles, la plus grave, consiste
justement à montrer que l'on est capable de supporter les spectacles les plus horribles que la
misérable condition de l'homme, et de la chair
périssable, puisse offrir... Car je soulignerai bien
que notre maison, dans son ensemble, dans sa vie
quotidienne, est un continuel exercice de force
d'âme ; que se loger ainsi, quasiment au cœur
d'un hospice, au contact de maux et de sanies
dont l'homme ordinaire s'épouvante, qu'arriver
dans cet environnement à étudier, à se divertir,
à déployer de la grâce, à être heureux, suppose
une manière d'héroïsme, et que c'est précisément

pour juger l'aptitude des nouveaux-venus à cet héroïsme que ces épreuves d'admission ont été calculées. Autrement dit, je me garderai de lui laisser croire que tout ici n'est que frime. Si nous nous sommes dressés à jouer avec les fléaux, ils n'en existent pas moins. La peste froide, pour ne parler que d'elle, a fait longtemps de cet enclos une de ses citadelles favorites. Aujourd'hui encore, notre hospice abonde en gentillesses à peupler les cimetières.

— Tout cela d'ailleurs est vrai aussi » dit M. de Bron.

— N'est-ce pas ? L'important est que notre homme conçoive la raison d'être de pareilles épreuves. Cette notion d'épreuves se rattachera aussitôt pour lui à tout ce qui se raconte ici et là des initiations à l'entrée des anciens ordres de chevalerie, et des sociétés secrètes... Or tout système d'épreuves régulières comporte nécessairement une bonne part de simulation ou d'artifice, pour ne pas dire qu'il en soit entièrement fait... L'artifice, en ce cas, n'a plus rien de désobligeant. Il est dans la définition de la chose. Je dirai en conclusion à notre lieutenant : Eh bien ! vous avez passé ce matin la principale de nos épreuves. Vous êtes admis.

— Mais s'il vous répond : Comment puis-je être admis ? J'ai passé l'épreuve aussi mal que possible, puisque j'ai pensé m'évanouir.

— Je le rassurerai, en lui faisant valoir que le trouble qu'il a montré était le moins qu'on pouvait attendre d'un néophyte... que cela ne touchait pas à ce qui était pour nous l'essentiel, à savoir le courage d'approcher physiquement des malades atteints de maux repoussants et conta-gieux. Or il n'a pas refusé de les approcher. Il n'a demandé grâce qu'ensuite, et qu'après avoir eu tout le temps de subir la contagion.

— Donc, vous vous proposez de lui ouvrir les yeux dès aujourd'hui !

— Il le faut. Préférez-vous qu'il arrive à les ouvrir de lui-même ?

— Mais s'il parle de votre histoire d'initiation par exemple devant ces dames, elles vont lui rire au nez.

— Non. Parce que vous allez réunir tous nos gens cet après-midi même, sous prétexte de leur relater bien exactement ce qui s'est passé, et où nous en sommes ; et vous en profiterez pour leur faire la leçon.

— Mais vous avez confiance en des leçons et des consignes que l'on donne comme cela, en vrac, à toute une quantité de gens ? Ils n'ont rien de plus pressé ensuite que de se couper.

M. de Sarolière passa quelques instants à médi-ter sur l'objection.

— Vous avez raison » dit-il. « Le meilleur moyen pour que les gens ne démentent pas ce qu'on leur demande de laisser croire, c'est qu'ils y croient eux-mêmes. Dites-leur ceci : que depuis quelque temps nous avons profondément songé à la chose ; que l'idée de ces épreuves d'initiation était à l'étude ; qu'elle répondait d'ailleurs à d'anciennes recommandations du comte de Juzennes ; que vous avez saisi l'occasion de la dernière alerte pour achever de voir comment les mettre sur pied ; que lorsque ces dames vous ont supplié de donner une apparence d'utilité à leur travail, avant qu'il fût défait, vous étiez justement chatouillé par l'envie d'essayer votre système d'épreuves, et en étiez à vous dire qu'il ne serait inauguré sur personne mieux que sur le lieutenant, qui se présentait à tous égards comme un néophyte... Jetez sur tout cela de la gravité, quelques sentences absconses. Feignez d'en sous-entendre plus que vous n'en dites. Une lumière toute nouvelle se répandra d'elle-même sur les scènes de ce matin. Personne ne pensera plus qu'il ait pu s'agir d'une simple mascarade. Personne ne risquera donc d'en parler de travers au lieutenant.

— L'ensemble de la chose ne paraît pourtant pas résister à l'examen » dit Ruchard. « Il suffira que les gens réfléchissent une minute. Les contradictions, l'invraisemblance éclatent.

— Oui, si vous avez l'imprudence d'inviter les gens à réfléchir. Mais vous vous en garderez bien. Rendez-vous compte que c'est justement ce qui nous a manqué le plus ici, jusqu'à présent : un brin d'absurdité, et les liens que cela crée, ou pour tenir chaque esprit en paix avec lui-même, ou pour les tenir accordés ensemble. Notre institution ne faisait appel à rien que de libre et de raisonnable. Je m'étonne qu'elle ait tant duré.

— Je suis enclin à penser comme M. Ruchard » dit M. de Bron. « Je doute que ce sacrifice à l'absurdité nous consolide.

— Vous allez voir : dès que nos jeunes femmes se diront qu'elles trempent dans des mystères redoutables et que leurs moindres badinages sont des rites dignes des Mystères d'Isis, elles ne penseront plus à s'ennuyer. Je vous montrerai dans Lucien de Samosate, que je suis occupé à traduire, des passages où il y a un sentiment excellent de cette vérité.

— Mais si vous les montrez à votre nouvel élève, pour lui faire faire ses classes de grec, ne va-t-il pas établir un rapprochement ?

— L'esprit de l'homme, quand il n'est pas averti, n'est pas si agile que cela. Et puis si notre lieutenant en arrive de lui-même à une clairvoyance de cet ordre, c'est que ce sera vraiment un esprit de toute première qualité ; et qui le moment venu pourra tout comprendre... D'ailleurs, quand tout notre monde sera là, faites-moi chercher. Je n'en suis pas à une harangue près. Mais laissez à ma disposition la chaise et les

deux porteurs. Je suis incapable de faire un pas
de plus. Plaçons la réunion par exemple à cinq
heures de l'après-midi...

— Mais que vais-je leur dire pour vous préparer les voies ?

— Que j'ai une communication très importante
à faire, concernant l'esprit et les œuvres de cette
maison. Il faudra même que je trouve moyen de
ramener dans mon coup de filet le ballet de Barbieri.

— Le ballet de Barbieri ?

— Oui. Maintenant que l'alerte est passée,
Barbieri et les autres vont vouloir reprendre leur
travail. Rappelez-vous que la représentation était
d'abord prévue pour la semaine qui vient.

— Oui, mais en quoi comptez-vous intervenir ?

— Si nos gens continuent à croire qu'ils ne
font cela que pour s'amuser, ils ne s'y amuseront
plus longtemps. J'ai beaucoup rêvé à tous ces
problèmes, depuis quelques jours. L'homme est
décidément un animal très ridicule. Ou plutôt la
nature l'a construit pour une vie difficile et tour-
mentée. Il n'a aucune habileté à être heureux.
Lucrèce nous dit que, pour nous faire glisser à
certaines actions, la nature enduit de miel les
bords d'une coupe, dont au fond le breuvage est
amer. Le contraire est vrai au moins aussi souvent. L'homme ne consent à boire le bonheur que
si le bonheur se déguise de difficulté, ou de

devoir. Et il n'y trouve du goût durablement que
si la dégustation en est entrecoupée et contestée,
ou que si on lui cache bien que c'est du bonheur
qu'il déguste. Je veux qu'à partir de maintenant
nos amis se persuadent que les frivolités de Barbieri, et toutes autres, ont un fond abstrus, et
sévère, composent un exercice pénible, mais riche
de sens et de mérites.

— Ce qui me taquine » fit Ruchard, « est tout
votre échafaudage de mensonges. Ce n'est pas
assez de dire que l'un s'appuie sur l'autre. Ils
sont effroyablement enchevêtrés. Je ne suis pas
sûr que vous vous y reconnaissiez vous-même. En
tout cas, moi, je commence à n'y plus voir clair.

— Je ne déteste pas cet effet de confusion »
répondit en riant le vieux gentilhomme. « C'est
en cela que nos fabrications auront quelque
chance d'être solides, ou au moins de se faire
respecter. Regardez par exemple celles de Dieu.
Croyez-vous que les contradictions dont elles sont
pleines ne sont pas pour quelque chose dans la
révérence qu'elles nous inspirent ? Si nous avions
vu clair, dès l'origine, dans les œuvres de Dieu,
il y a longtemps que nous en serions fatigués.

— Mais une contradiction et une menterie ne
sont pas la même chose.

— Hum ! » dit M. de Sarolière. « Pour un
esprit divin, cela doit se ressembler fort.

Ruchard réfléchit une minute :

— En somme, dans ces temps de délires et de fureurs, vous avez voulu construire une arche où vous enfermer à quelques-uns. On pourrait penser qu'au moins à l'abri de ces murs se logent la raison toute pure, et des vérités toutes nues. Est-ce donc que décidément cela passe les forces humaines ?

— Dès le début, cher monsieur, ne nous a-t-il pas fallu tricher ? Croyez-vous que ces temps, que vous flétrissez avec justice, eussent toléré l'existence avouée d'une communauté telle que la nôtre ? Nous n'avons réussi à vivre qu'en simulant la brindille morte.

— Va pour ce mensonge. Mais les autres ?

— L'ennemi du dehors, nous l'esquivions. Restait l'ennemi intérieur. Avec leurs vœux et leurs règles, les couvents ont déjà tant de peine à se défendre de lui ! Rappelez-vous l'*acedia*. Et encore une fois, relisez Lucrèce, cher monsieur. L'on en revient toujours à ceci, que nous sommes des bêtes tout récemment sorties de leurs forêts, mal déshabituées de l'alerte et du tremblement. A ce propos, soyez sûr que cette alerte-ci nous aura fait du bien. Les dames s'ennuieront moins de toute une saison.

Il se tourna vers M. de Bron :

— Vous n'êtes pas très content de votre Lycurgue ? Ce qu'on peut espérer de celui qui donne des lois à une cité, qui cherche à en joindre les

pierres, ce n'est pas qu'il opère sans trace de mensonges, c'est impossible ; mais c'est qu'il ne mêle
à son mortier, pour l'aider à prendre, que des
mensonges bénins. A cet égard, que voulez-vous
de plus modéré que moi ? Pour mystagogue et
hiérophante, j'ai Barbieri. Avouez ! Et je ne
réclame aucun exécuteur des hautes œuvres. » Il
se remit à rire : « Un peu de patience ! Vous
verrez que dans quelque temps nous-mêmes fini-
rons par nous demander si, après tout, il n'y a
pas quelque chose... oui, si notre main n'a pas
été guidée. Ha ! ha ! Nous sommes faits de la
même pâte que les autres.

XXVIII

C'est ainsi qu'une semaine plus tard il y eut
assemblée plénière dans la grande salle du Prieuré. Nombre d'habitués du moulin avaient été
convoqués spécialement et avec eux Maître Cornaboux. Au premier rang de l'assistance siégeait
le gouverneur, qui avait à sa gauche M. Guèbe
et les deux médecins, à sa droite le lieutenant
bâlois, M. de Sarolière, Ruchard et Cornaboux.
Dans l'espace laissé libre devant eux se dévelop-
paient les figures du ballet de Barbieri, soutenues
par la musique.

Avant le spectacle M. de Sarolière, dont on
avait simplement poussé la chaise au milieu de
ce qui allait être la scène — pour qu'il pût parler
face à l'auditoire — avait prononcé un petit discours savamment obscur, dont les dames avaient
semblé satisfaites, et que le lieutenant continuait
à méditer, en attribuant son défaut de compréhension à de trop longues années de vie militaire.

A certains moments M. de Sarolière donnait de

sa canne un coup contre le plancher et se levait de sa chaise avec effort. L'assistance, qui avait été prévenue dans le petit discours d'ouverture d'avoir à l'imiter, se levait à son exemple, en ne manquant pas d'apercevoir tout ce que cet endroit de la cérémonie prenait de sens et de solennité. Puis M. de Sarolière donnait le signal de se rasseoir.

Il venait de le faire une fois de plus ; et il fallait avouer qu'à ce moment le spectacle avait juste présenté une coïncidence de mélodie, de mouvements, de mimiques, d'où, au prix d'un peu de complaisance, toutes sortes de significations occultes semblaient sourdre. En se rasseyant, le traducteur de l'*Histoire véritable* dit à l'oreille de Ruchard :

— Je crois bien que pour ma part cela commence déjà.

— Quoi donc ?

— Eh bien ! j'en suis à me demander si après tout...

Il leva sa canne dans un geste à la fois évocateur et évasif.

Puis il tourna la tête vers la gauche, vers la droite, considéra l'assistance, les hautes fenêtres, et ce qui, des arbres et des pelouses, apparaissait au delà.

Ruchard profita d'une pause du spectacle pour demander :

— Que regardiez-vous ?

— Rien de particulier. Je me disais seulement »
et M. de Sarolière prit un ton des plus modérés,
« que s'il se passe en ce moment quelque chose
dans le paradis, ce ne peut être que de ce
genre-là.

— Pas mieux, vous croyez ?

— A peine... Songez que nous avons tout ici...
même l'enfer à portée de la main... Voyez notre
lieutenant, s'il est ravi. Là-haut, les moyens sont
probablement plus riches. Mais l'idée que cela va
durer toujours doit peser sur le cœur. Et puis, les
ballets qu'on leur présente manquent forcément
de mystère. Ces gens de là-haut sont censés tout
savoir, n'est-ce pas ? Comment font-ils pour s'intéresser encore au spectacle ?

— En tout cas, cela doit être moins intime. Je
n'imagine pas le paradis avec si peu de monde,
malgré tout.

— Bien sûr. Je ne l'imagine pas non plus avec
un excès d'affluence. Plus je vais, plus je me
persuade que Dieu n'est à son aise qu'en petit
comité, de même qu'il ne réussit vraiment que
les petits morceaux. Les dimensions de l'univers
l'intimident. Il y a longtemps qu'il se sent débor-
dé. Mais vous ne m'écoutez plus. A quoi pensez-
vous.

— A Jeanne de Meyrueis.

— Vous regrettez de ne pas l'avoir suivie ?

— Ce n'est pas cela.

— Vous ne vous la figurez pas bien par rapport au paradis ?

— Si vous voulez. Faite comme elle est, je ne pense même pas qu'elle le cherche.

— Et si elle le rencontrait par hasard, elle ne s'en apercevrait pas. C'est bien mon avis.

— Le plus fâcheux est que je ne parviens pas à me débarrasser d'elle. Je me la représente toute seule, traversant je ne sais quel plateau **désert**, ne sachant où elle va, en accord avec personne, attendue par personne ; n'ayant pour compagnons que son cheval et ses pistolets.

— Croyez-vous qu'elle soit triste ?

— Triste ? Non, peut-être. Indignée, plutôt.

FIN

Imprimé au Canada — Printed in Canada

Date Due